교과 수업과 연계된 창의력 디자인!

여자아이가 좋아하는

뭐든지 그려요

홀리 브룩파이퍼 글 댄 그린 그림
오지현 역

봄봄스쿨

Draw Stuff – Learn to Draw for Girls
Written by Holly Brook-Piper
Illustrated by Dan Green, Sarah Wade, and Anna Hancock

A division of Bonnier Media Ltd
Chichester, West Sussex, PO20 7EQ, England

CONTENTS

WHAT IS DRAW STUFF?

《뭐든지 그려요》는 어떤 책일까요?

여러분 내면에 숨겨진 예술가 기질을 깨워 창의력을 발휘할 시간이에요!
《뭐든지 그려요》는 그리기의 기본 개념을 소개할 뿐만 아니라 다양한 미술 작품을 찾아 감상할 수 있어요. 또한 그림을 그리고 싶은 의욕을 샘솟게 하는 기발한 생각을 많이 알려 줘요.
책의 구성과 각 소단원의 내용을 아래에 짧게 소개합니다.

1편-만화: 첫 번째 소단원에서는 만화 그리기의 기본 규칙들을 알아봐요. 재미있는 연습 과제가 가득해서 이론을 직접 연습해 볼 수 있어요.
2편-패션: 이 소단원에서는 창의력을 발휘하지 않으면 안 돼요. 상황에 따라 새로운 옷을 디자인해볼 기회가 많아요.
3편-풍경: 그리기 기술을 익히는 한편, 풍경 그리기의 중요한 요소들을 알아봐요. 다양한 경치 그리기에 대해서도 단계별로 자세히 설명되어 있어요.
4편-새로운 시도: 현대 미술의 역사를 살펴보는 시간이에요. 중요한 특징과 위대한 화가들을 중심으로 각 시대를 설명해요. 새로운 미술을 실험해 볼 공간도 충분해요.
5편-스케치북: 아주 쉽게 말하자면, 이 소단원에는 빈 종이가 아주 많아요! 기발한 생각들과 새로운 시도들을 잊어버리지 않도록 잘 적거나 그려 두세요. 언젠가 다시 찾아볼 만큼 대단하고 보물처럼 귀한 것들이니까요.

《뭐든지 그려요》는 학교 수업과 관련 있어요.
- 경험과 상상에서 나온 기발한 생각들을 기록하고 발전시킬 수 있도록 이끌어 줘요.
- 미술 작품 속에 숨어 있는 폭넓은 뜻을 이해할 수 있는 능력을 키워 줘요.
- 다양한 장르, 스타일, 그리고 전통에 대해 자세히 알아볼 수 있도록 도와줘요.

지금까지 이 책에 관해 간단히 설명했어요. 이제 본론으로 들어갈 시간이에요.
슬슬 그림을 그리면서 마음껏 즐겨요!

CARTOONS
만화

여러분, 《뭐든지 그려요》를 시작한 걸 환영해요!

이 소단원에는 처음 그림을 배울 때 알아 두면 좋은 것들이 모두 담겨 있어요. 만화 캐릭터를 그릴 때 유용한 단계별 설명뿐만 아니라, 캐릭터 외에 다른 것을 그릴 때 도움이 되는 기본적인 규칙들도 알려 줘요.

누구나 배우면 그림을 잘 그리게 될 수 있어요.

그림을 잘 그리는 비법은 즐기면서 그리는 마음가짐이랍니다!

먼저 뒤에 소개된 유용한 요령과 정보들을 꼼꼼히 읽어 보세요.

시작해 볼까요?

그림을 그리고 싶다고요? 무엇부터 준비하면 좋을까요? 바로 연필이에요!
초보 단계에서는 펜보다 연필로 그리도록 하세요.
실수해도 쉽게 지울 수 있으니까요!

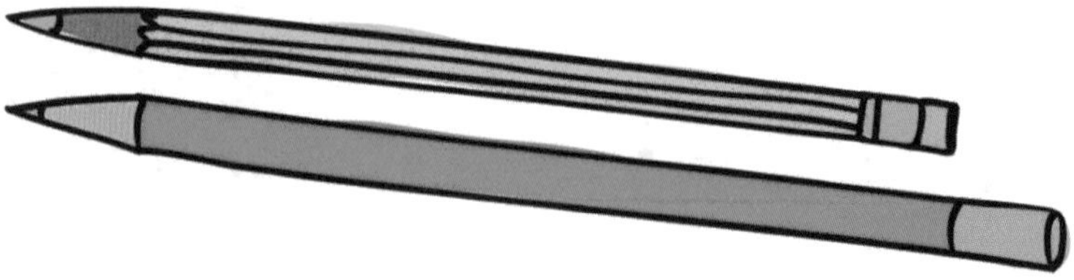

PENCILS 연필

연필은 선이 얼마나 진하게 그려지느냐 흐리게 그려지느냐에 따라 여러 단계로 나뉘어요.
밑그림은 옅게 그리는 게 좋아요. 옅은 선을 그릴 때는 2H 연필을 사용하세요.
좀 더 진하고 굵은 선을 그리거나 명암을 표현하고 싶을 때는 2B나 3B 연필이 제격이에요.
주변에 이런 연필들이 없다면 우리가 흔히 사용하는 HB 연필도 괜찮아요!

PENS 펜

꼭 펜으로 그리고 싶다면, 펠트펜이나 플라스틱펜을 사용하세요.
어떤 만화가들은 볼펜으로 그리는 걸 좋아한답니다.
단, 볼펜을 쓰면 종이에 잉크가 번질 수 있으니 조심하세요!

PAPER 종이

아무 종이나 괜찮아요. 중요한 서류만 아니라면 말이죠!
초보 단계에서는 아무거나 쓰면 돼요.
웬만큼 연습하고 나서는 전문가가 쓰는 스케치패드를 구입해서 사용해도 좋아요.

RUBBER
지우개

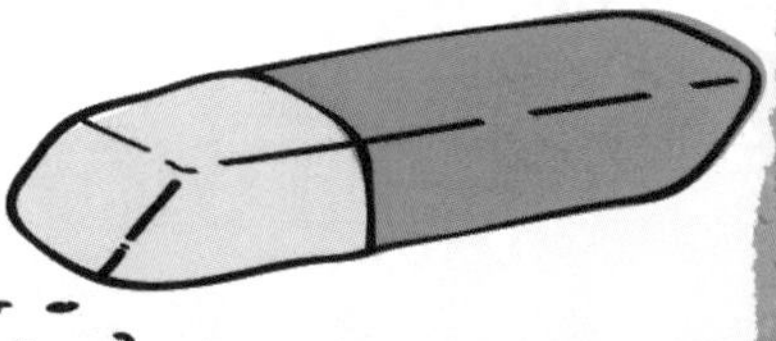

예비 만화가라면 연필과 종이 말고도 지우개가 꼭 필요해요!
누구나 실수를 하는 법이니까요. 유명한 만화가들도 예외는 아니에요!
실수는 배우는 과정의 일부에요. 실수가 없다면 깨닫는 것도 없겠지요?
그러니 실수했을 때 너무 조급하게 생각하지 마세요.
그리는 법을 익히려면 시간이 필요하답니다.

PENCIL SHARPENER 연필깎이

심이 뭉뚝한 연필로는
그림을 그릴 수 없어요!

창의성이란 자신에게 실수할 기회를 주는 것이다.
예술이란 그중 어떤 실수를 계속 저지를지 깨닫는 것이다.
– 스콧 애덤스(만화가)

팁!!

펜으로 그리다가 틀렸을 때는
수정액으로 지우세요. 그런 다음
그림을 복사하면 틀린 부분이 눈에
띄지 않을 거예요!

그러니까 여러분은 만화를 그리고 싶군요……
만화 하면 무슨 생각이 드나요?
〈짱구는 못말려〉나 〈명탐정 코난〉 같은 TV 애니메이션이 떠오르나요?
아니면 만화와 예쁜 그림이 그려진 책이 떠오르나요?
여러분이 제일 좋아하는 만화 속 등장인물들을 적으세요.
그 캐릭터들이 왜 좋은가요?

SHAPE SHIFTING

도형 변화시키기

하얀 종이에 그림을 그리기 시작한다는 건 부담스러운 일이에요. 그래서 많은 만화가도 처음에는 다양한 도형을 이용해서 단순하게 그려요. '단순하게'가 아주 중요해요! 아래 그림들을 살펴보세요. 각 그림이 단순한 도형들로 쪼개어져 표현되어 있어요. 잊지 마세요! 여러분이 그리려는 형태에 맞추어 도형들을 찌그러뜨리거나 늘일 수 있어요!

이 페이지에 있는 기본 도형들을 살펴보세요. 그리고 이 도형들을 바탕으로 그림을 그리기 시작해 보세요.

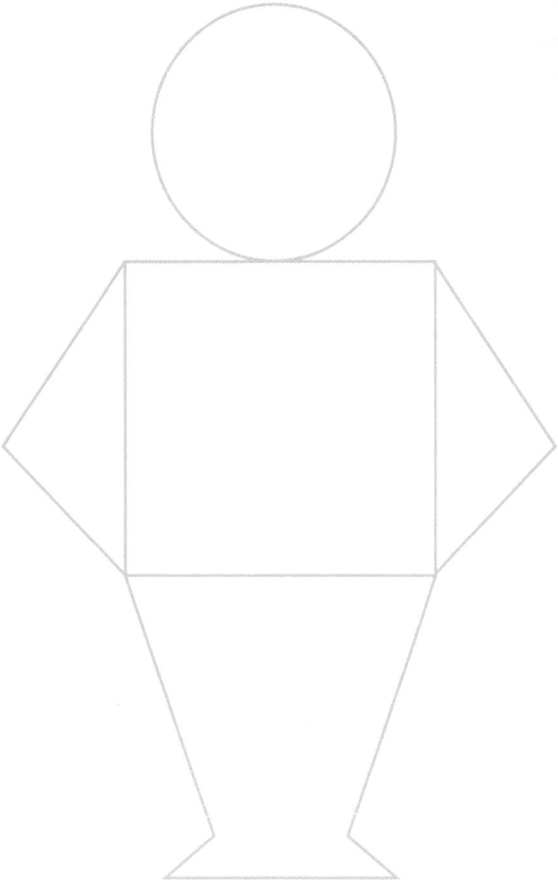

알고 있나요?

만화를 그리기 위해서 도형들을 어떻게 배열할지 계획하는 것을 '구도 잡기' 라고 해요.

IT'S ALL ABOUT PROPORTION!

비율의 모든 것!

비율이란 둘 이상의 대상 사이에 나타나는 크기 관계를 말해요. 성인을 그릴 때는 어림잡아 8등신으로 나누면 돼요. 신체 각 부분의 길이를 머리의 길이와 같게 잡는 거죠. 만화가들은 수시로 이 공식을 깨고 5등신 혹은 12등신 캐릭터까지도 만들어 내요!!! 실제와 똑같이 그리지 않아도 된다는 점이 만화의 굉장한 매력 중 하나죠. 그래도 여러분이 직접 캐릭터를 만들려고 할 때 기본 8등신 공식을 알고 있으면 언제나 큰 도움이 된답니다.

아래의 격자선 위에 자신만의 캐릭터 세 개를 그려 보세요.

옆 페이지에 나온 공식을 이용하세요.

재미있는 사실!

알고 있나요? 고대 이집트 화가들은 엄격한 규칙을 따라야만 했어요.
비율에 맞게 그림을 그리기 위해서 격자 체계를 갖추고 있었다고 해요.

IT'S ALL ABOUT EXPRESSION!

표정의 모든 것!

거울 앞에 서서 얼굴을 찡그리면 어떻게 되나요?
여러분의 표정이 변하지요! 눈, 코, 입, 눈썹이 어느 정도 변하는 것을
볼 수 있을 거예요. 이런 여러 가지 표정 변화를 표현할 수 있다면
여러분의 캐릭터가 더 생동감 있게 보일 거예요.
아래에 있는 다양한 표정을 살펴보세요.
각각의 표정에 어떤 감정이 담겨 있는지 여러분의 생각을 써 보세요.

옆 페이지에 있는 여러 가지 표정을 참고해서 아래의 얼굴을 진짜 사람 얼굴처럼 만들어 보세요. 완성된 각각의 얼굴은 어떤 사람인 것 같나요?

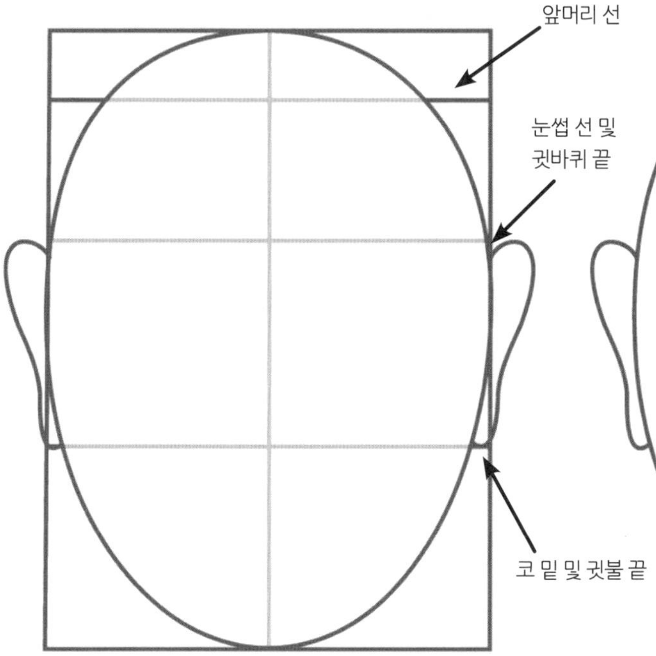

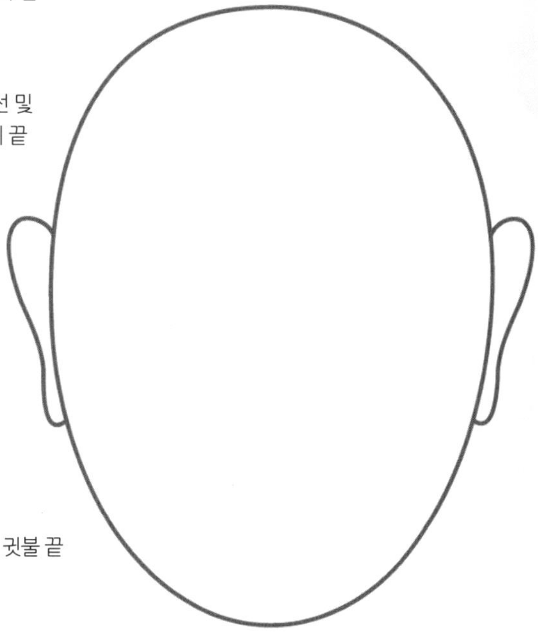

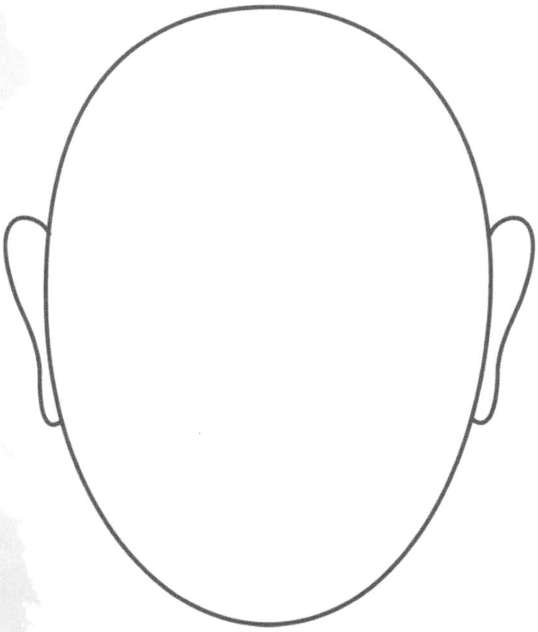

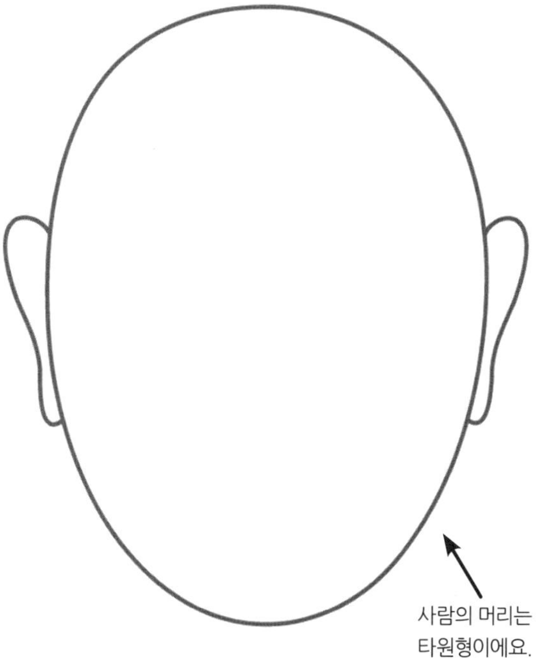

팁!!

이렇게 얼굴 위에 선을 그어 놓으면 얼굴 생김새의 균형을 잡는 데 도움이 될 거예요.

GET HANDS (AND FEET!) ON

손과 발 그려 넣기

손과 발은 그리기 어렵기로 유명해요!

아래에는 다양한 각도에서 바라본 손과 발이 그려져 있어요.

이 책 뒤편의 스케치북 단원에 있는 빈 종이에, 여기에 나온 손과 발을 따라 그려 보세요.

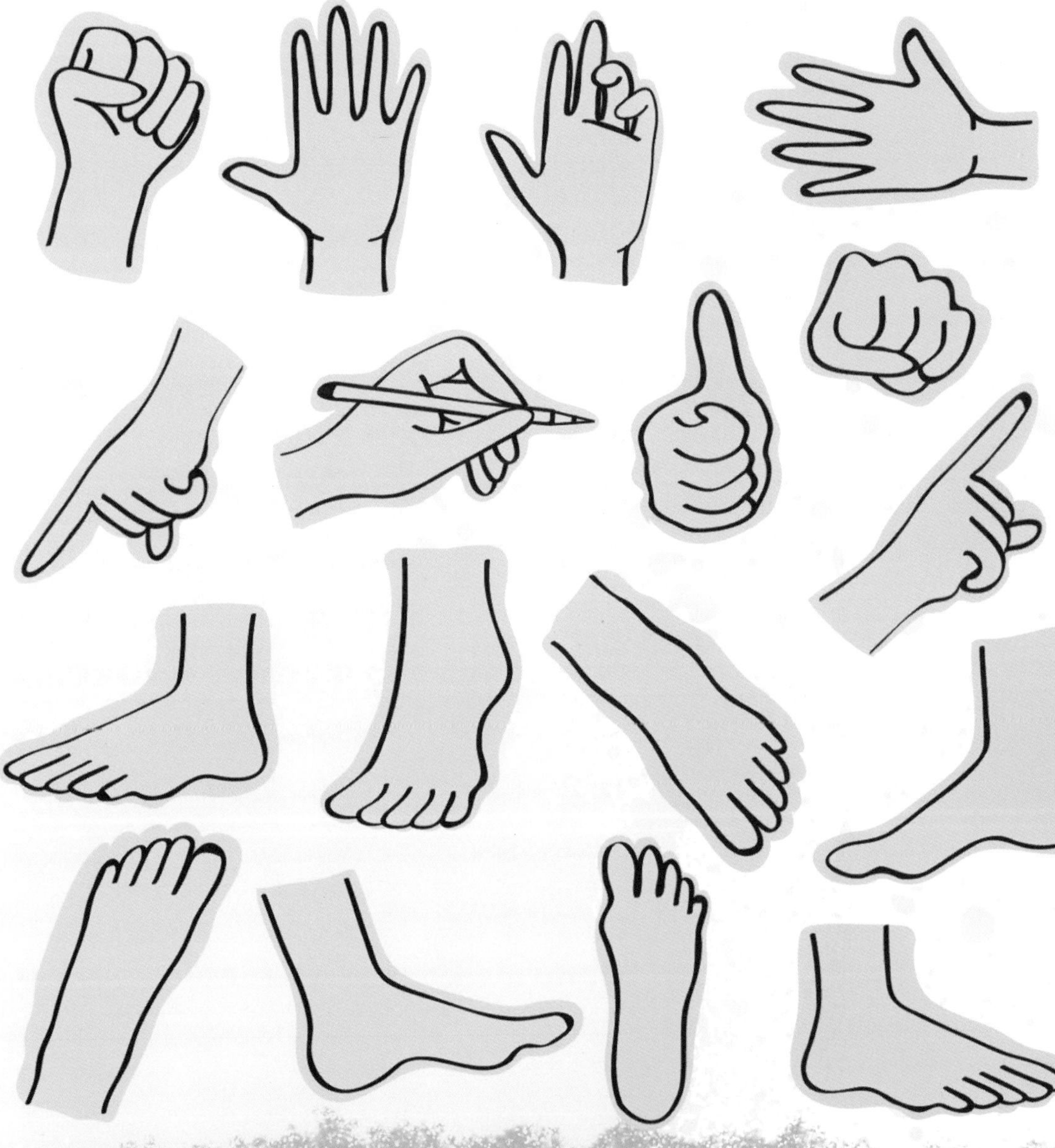

팁!!

손 그리기는 좀 까다로워요. 여러분이 캐릭터를 그릴 때
손 모양이 아주 중요한 게 아니라면, 캐릭터의 호주머니 속에 손을 감추세요!

아래 캐릭터들의 손과 발을 그려 넣어 보세요.

ACCESSORISING YOUR CHARACTER

나만의 캐릭터 꾸미기

이제 재미있는 작업으로 넘어갈게요. 바로 나만의 캐릭터 꾸미기예요!
여러분이 창의력을 제대로 발휘할 수 있는 시간이죠.
표정으로 캐릭터가 느끼는 감정을 드러낼 수 있어요. 한편, 신체 특징과 장신구들은 여러분이 그린 캐릭터의 전체적인 모습을 완성하는 데 도움이 될 수 있어요.
예를 들어, 하늘을 나는 빗자루와 마법의 수프를 끓이는 가마솥은 마녀를 마녀답게 보이게 하는 데 도움이 돼요! 빗자루와 가마솥 없이도 마녀는 여전히 마녀겠지만요.

아래 그림 상자 안에 있는 물건들은 캐릭터의 정체를 짐작하게 하는 단서들이에요.
이런 것들이 없다면 우리는 캐릭터가 어떤 인물인지 파악하지 못할 거예요.
빈 곳에 캐릭터를 알 수 있게 하는 단서들을 더 그려 보세요.

WITCH 마녀

해적 PIRATE

FAIRY 요정

팝스타 POP STAR

각각의 액자 안에

캐릭터를 그리고 꾸며 보세요.

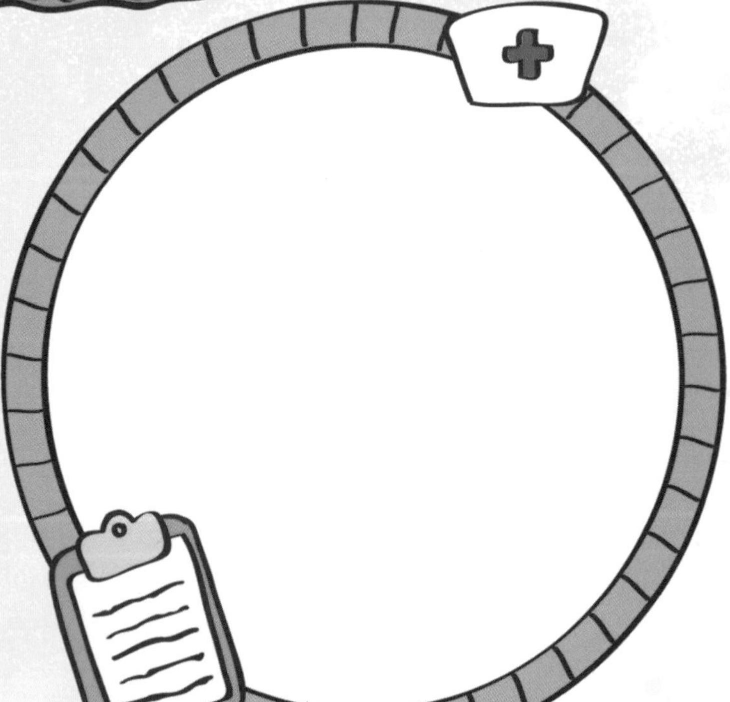

PROFILES

프로필 그리기

언제나 얼굴 정면만 그리게 되지는 않을 거예요.
이제 프로필 그리기를 배워 볼 시간이에요.
프로필이란 원래 캐릭터의 옆면을 그린 그림을 말해요!
무심코 지나쳤을 수 있지만 여러분의 지갑 속에서도 아주 상징적인 프로필 이미지 몇 가지를 발견할 수 있어요. 우표와 동전, 그리고 운 좋게 지폐가 좀 들어 있다면 말이에요!
다양한 각도로 캐릭터 그리기는 감정이나 느낌을 표현하고 싶을 때 아주 유용해요.
예를 들어서, 수줍어하거나 괴로워하는 사람은 아마도 머리를 숙이고 있을 거예요.

나만의 동전을 만들어 봐요! 아래의 동전과 지폐에 프로필을 그려 보세요.
동전과 지폐가 얼마짜리인지 적는 것도 잊지 마세요.

PRETTY PRINCESS

예쁜 공주님

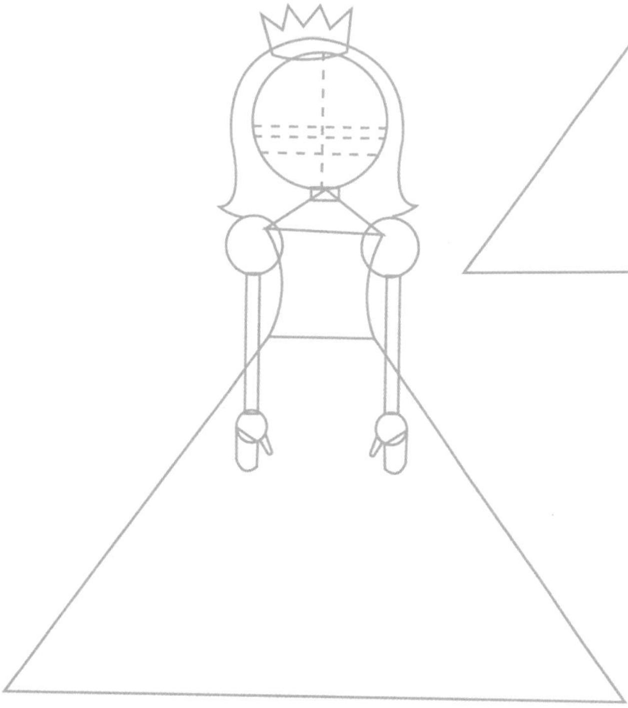

옆에 예를 따라서 공주를 그려 보세요.

팁!!

캐릭터에 어울리는 배경을 만드는 것도 잊지 마세요!

FANCIFUL FAIRY

상상 속 요정

옆에 예를 따라서 요정을 그려 보세요.

ENCHANTED CASTLE

마법에 걸린 성

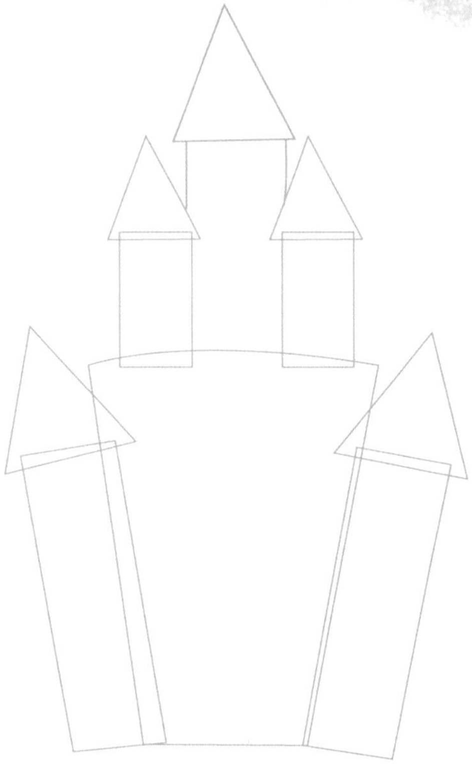

옆에 예를 따라서 마법에 걸린 성을 그려 보세요.

THIS CAT GOT THE CREAM!

이 고양이는 새침해요!

옆에 예를 따라서 고양이를 그려 보세요.

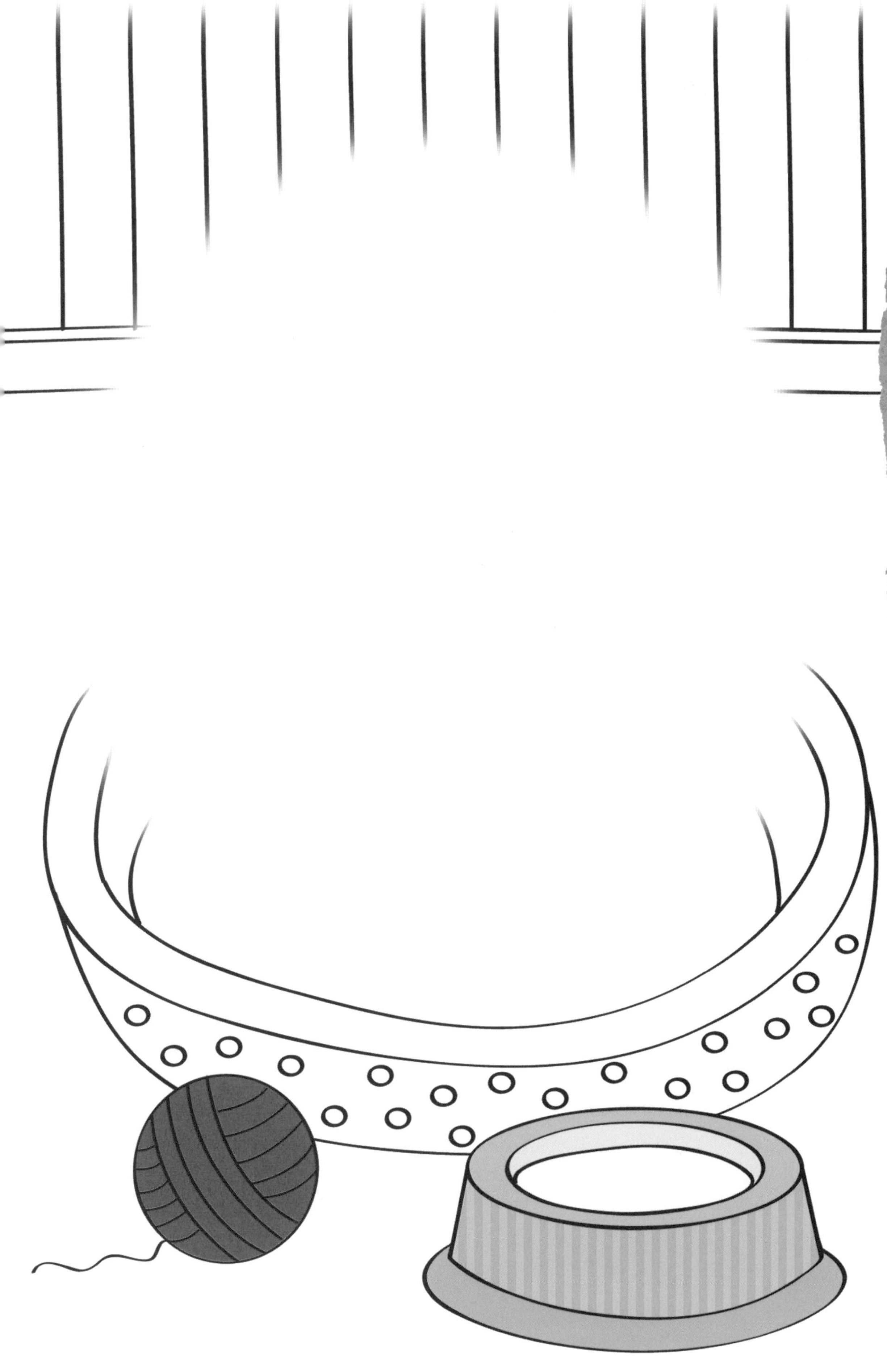

PUPPY PLAYTIME

강아지가 뛰놀아요!

옆에 예를 따라서 강아지를 그려 보세요.

NEIGH-BOURS

친근한 말

옆에 예를 따라서 말을 그려 보세요.

DOLPHIN DREAMS

천진난만한 돌고래

옆에 예를 따라서 돌고래를 그려 보세요.

COMIC STRIPS

칸 만화

칸 만화는 여러 칸으로 된 만화예요. 칸을 나누어서 이야기를 전달하지요.
칸 만화의 글은 보통 글상자나 말풍선 안에 들어가요. 칸 만화 그리기의 가장 큰 매력 중 하나는 구구절절 설명할 필요가 없다는 점이에요. 이야기 대부분이 대화, 그림, 그리고 짧은 자막으로 표현되기 때문이죠. 아래의 보기를 확인해 보세요.

팁!!

칸 만화 중에서도 4컷 만화는 아주 짧아요.
그러니까 중요한 인물이나 주제들을 일찌감치 드러내야 해요.

유명한 칸 만화가 많은데, 몇 개만 꼽자면 〈가필드〉, 〈개구쟁이 데니스〉, 〈스파이더맨〉, 〈배트맨〉, 〈스누피〉, 〈드래곤볼〉, 〈슬램덩크〉, 〈원피스〉 등이 있어요.
이 중에 어떤 작품들은 겨우 4컷이고, 다른 작품들은 그보다 훨씬 길어요.
심지어 칸 만화 형식으로 된 소설도 있어요!

칸 만화를 그리기 위한 비법 몇 가지를 소개합니다.

말풍선 모양에 변화 주기: 여러분의 만화에 변화를 주고 싶다면 다양한 모양의 말풍선을 사용해 보세요. 말풍선의 모양이 다양하면 만화가 더 흥미진진하게 보인답니다. 또, 글이 표현하는 느낌을 살려서 그 모양을 직접 만들 수도 있어요. 예를 들어, 캐릭터가 흥분하거나 깜짝 놀랐을 때는 지그재그 말풍선을 쓰는 식이지요.

칸 모양에 변화 주기: 칸의 크기와 모양까지 똑같아야 한다고 누가 그러던가요?

소리 표현하기: 칸 만화의 공통점은 이야기 속 효과음들이 주로 글로 표현된다는 점이에요. 예를 들어, '우르르 쾅!', '첨벙!' 같은 말이 있어요.

글자체에 변화 주기: 칸 만화는 소설과 달라요. 글자체에 이것저것 시도해 보는 것은 어떨까요? 아래에 나오는 보기 몇 가지를 살펴보세요. 그리고 글자체로 느낌을 어떻게 표현할지 생각해 보세요. 예를 들어 캐릭터가 소리를 지르고 있다면 서체를 크고, 굵게 해 보세요.

다음은 여러분 차례예요!

여러분만의 칸 만화를 완성해 보세요.

팁!!

항상 그리기 전에 무엇을 그릴지 계획하세요.

이제 여러분이 꼭 배워서 그리고 싶은 것들을 써 보세요.

팁!!

그림 연습을 하려면 집에서 아무 대상이나 골라서 그려 보세요.

Fashion

패션

흥미진진한 패션의 세계로 들어가 볼 시간이에요!
색깔 바퀴, 즉 색상환과 장신구에 대해서 자세히 배워 보고
여러분만의 옷 한 벌을 한번 디자인해 보세요!

What is fashion?

패션이란 무엇일까요?

'패션'이란 그때그때 유행하는 옷과 그와 관련된 모든 것이에요.
옷뿐만이 아니라 신발, 장신구, 그리고 머리 모양도 패션이에요.
매년 디자이너들은 새로운 옷들을 선보여요.
이런 옷들을 보면 앞으로 유행할 패션 스타일을 한눈에 알 수 있어요.
시대가 변하면서 멋쟁이의 기준은 점점 변해왔어요.
한 예로 17세기에는 남성용 가발에 밀가루를 뿌리는 것이 유행이었지요.
옷은 우리 몸을 따뜻하게 감싸주는 기능만 하는 게 아니에요.
다른 기능도 많아요! 마음에 드는 옷을 입으면 기분이 좋아지기도 하고
개성을 표현할 수도 있어요. 또한 어떤 나라에서는 특별한 옷을 입어서 자신이 속한
부족이나 종교를 드러내기도 해요.

패션은 언제 시작되었을까요?

옷이 처음 만들어진 때를 정확히 아는 사람은 아무도 없어요.
다만 많은 역사학자들이 기원전 10만 년에서 기원전 50만 년 사이에 옷이 만들어지기
시작했다고 믿고 있어요.

초창기 옷감

초창기 옷은 동물 가죽과 털로 만들어졌어요.
그러다 문명이 발달하면서, 식물 줄기와 나무껍질과 같은 식물에서 뽑아낸 재료로 옷을
만들게 되었죠. 비단은 기원전 3000년 전쯤 중국에서 처음 사용되었어요.
비단실은 누에가 뽑은 수천 미터의 천연 실로 만든 것이죠.
인도에서는 목화를 키웠어요. 목화씨를 둘러싼 솜털을 이용하기 위해서였지요.
솜털을 물레로 자아서 실을 만들고, 그 실로 옷감을 짜았어요.

간략한 역사

수천 년에 걸쳐 의류 산업은 아주 많은 변화를 겪어왔어요.
1500년대에는 나라들끼리 옷감이나 옷을 사고파는 게 더 쉬워졌어요.
그 덕분에 훨씬 수월하게 다양한 소재의 옷감과 디자인한 옷을 구할 수가 있었지요.
1750년대에는 재봉틀이 처음 소개되어 옷 만드는 기술도 발전하게 되었어요.
사람 손으로 일일이 하던 일을 기계가 대신하게 되었다는 뜻이에요.
기계로 옷을 만드는 것이 더 빠르고 저렴했기 때문에 의류 산업은 크게 발전할 수 있었어요.
패션의 역사에 관심이 있다면, 어른들에게 괜찮은 웹사이트를 소개해 달라고 부탁해서 조사해 보세요. 동네 도서관에도 도움이 되는 책들이 잔뜩 꽂혀 있어요!
특별히 마음에 드는 옷 스타일이 있다면 그 스타일대로 새 옷을 디자인해 보세요.

알고 있나요?

이집트인들은 실로 옷감을 짜서 옷을 만들어 입은 민족이에요.

알아볼 만한 최고 디자이너들

캘빈 클라인, 조르지오 아르마니, 비비안 웨스트우드, 베르사체, 프라다, 구찌, 샤넬, 미소니, 랄프 로렌, 줄리앙 맥도날드, 마크 제이콥스, 발렌티노 가라바니, 알렉산더 맥퀸, 루이비통, 베라 왕, 돌체 앤 가바나, 스텔라 매카트니

Proportion in fashion drawing

패션모델의 비율

여자를 그릴 때에는 보통 7등신에서 8등신으로 그려요. 하지만 패션모델은 키를 더 크게 그려요. 다리 부분만 더 길게 그리는 거죠. 이렇듯 패션모델의 비율은 대개 과장되어 있어요. 우아한 느낌을 주기 위해서지요. 여기 그려진 세 모델은 디자이너가 옷을 디자인할 때 이용하는 기본 유형이에요. 그렇지만 여러분이 직접 옷을 디자인할 때에는 모델의 키나 비율을 자유롭게 시도해 보세요.

팁!!

빨리 디자인을 하고 싶다면 이 페이지에 있는 모델들 위에
옷을 그려 보세요.

Colour wheel

색상환 이해하기

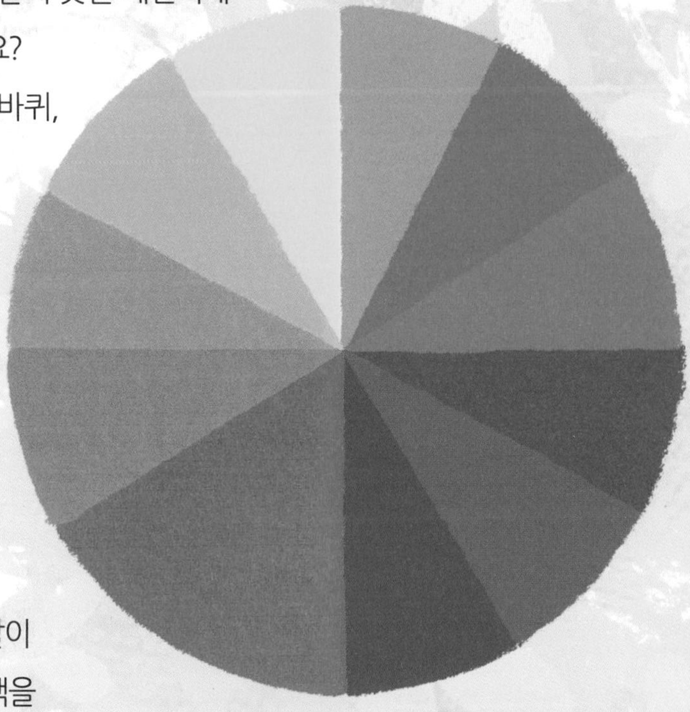

패셔니스타들(패션 감각이 뛰어난 사람)은 어떻게 저렇게 옷 색깔을 잘 맞춰 입을까 하고 궁금했던 적이 있나요? 여러 가지 색깔의 옷을 세련되게 맞춰 입을 수 있는 비법은 무엇일까요? 비밀은 바로 색상환에 있어요! 색깔 바퀴, 즉 색상환은 아주 훌륭한 디자인 도구예요. 패션쇼 무대에서 선보일 옷을 준비하는 데 꼭 필요하지요. 모든 색깔의 바탕이 되는 **삼원색**은 빨강, 노랑, 그리고 파랑 이렇게 세 가지예요. 두 가지 이상의 색깔을 섞어서 다른 색깔을 만들 때에 필요한 기본색이지요. 원색끼리 섞으면 완전히 새로운 색깔이 만들어져요. 원색에 검은색이나 흰색을 섞으면 원래 색에서 약간 옅거나 진한 색이 만들어져요. 색깔끼리 섞고 진하기를 다양하게 하면 다른 색을 많이 만들어 낼 수 있어요. 이렇게 만들어진 색을 **2차색**이라고 불러요. 색상환의 원리를 이해하면, 색깔들이 서로 어떤 관계가 있고 또 어떤 색깔들을 함께 쓰면 잘 어울리는지 더 잘 알 수 있게 된답니다.

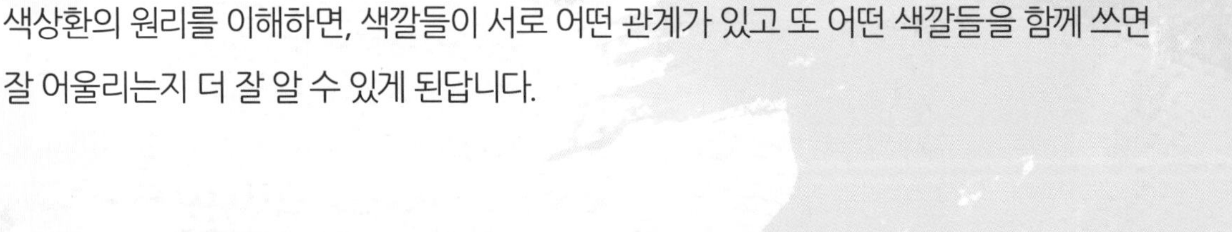

어떤 옷이든지 어떻게 색깔을 배치할지 선택하는 것만으로도 느낌이 180도로 달라질 수 있어요. 아래에 색깔을 어울리게 배치하는 세 가지 방법이 나와 있어요. 뭐부터 해볼까요?

보기 좋은 색깔들은 색상환에서 서로 이웃해 있어요.

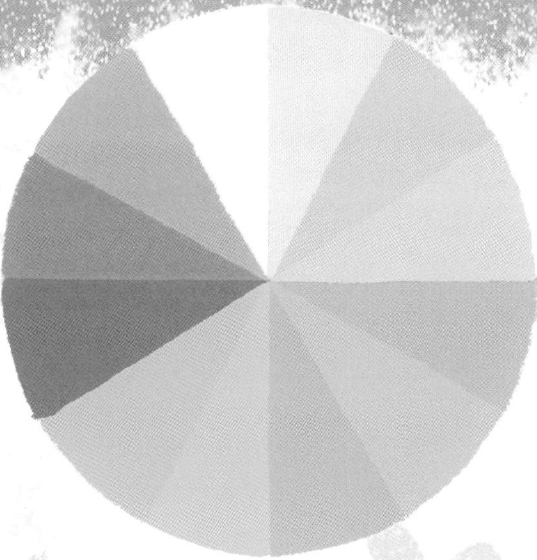

단색으로, 한 가지 색깔을 배열할 때는 밝기와 진하기를 다르게 하면 돼요. 단조롭더라도 잘 응용한다면 의외의 효과를 낼 수 있어요.

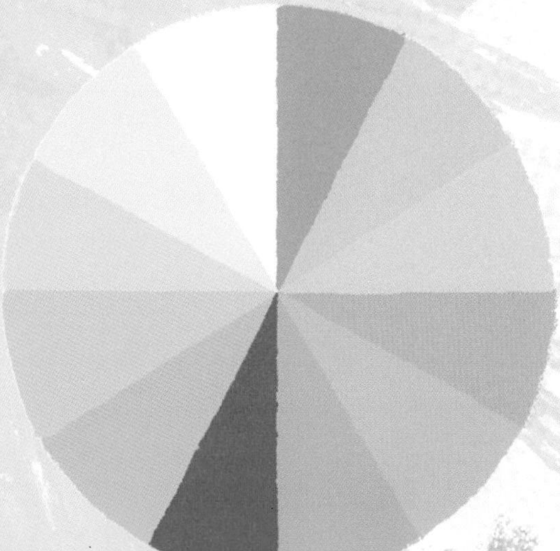

반대되는 색깔들은 색상환에서 서로 마주 보고 있어요.
반대되는 두 가지 색깔을 함께 놓으면 눈에 아주 잘 띄어요.
색깔 차이가 커서 강렬하게 느껴지기 때문이에요.

잊지 마세요, 무채색은 실제로 모든 색과 다 잘 어울려요. 그러니까 색상환에 있는 색 말고 다른 색을 찾고 있다면, 회색, 검은색, 베이지색, 카키색 혹은 흰색을 써 보세요.

Colour creations

색칠 작업

지금까지 색깔에 대해 배운 것을 모두 응용해서 이 모델들을 색칠해 보세요.

Pretty patterns

예쁜 패턴 고르기

패턴은 옷을 짓는 데 필요한 천을 고를 때 쓰는 작은 옷감 조각이에요.
무늬와 색깔이 반복되는 게 특징이지요. 꽃무늬처럼 형태가 뚜렷하게 반복되는 패턴도 있고, 물방울무늬나 체크처럼 기하학적인 모양과 무늬가 있는 패턴도 있어요.
아래 패턴들을 살펴보세요. 여러분은 어떤 무늬가 맘에 드나요?

팁!!

어떤 패턴들은 서로 잘 어울리지만, 정말 안 어울리는 패턴들도 있어요!
두 가지 패턴을 짝 지을 때에는 무늬의 크기에 따라 선택해야 해요.
두 패턴 모두가 크거나 작은 것보다는, 한쪽 무늬가 크면 다른 쪽은 작아야 서로 잘 어울려요! 패턴을 고르는 또 다른 방법은, 아주 복잡한 무늬의 패턴에는 좀 더 단순한 무늬의 패턴을 골라야 한다는 거예요.

옆 페이지에 있는 패턴들을 쓰거나 여러분이 직접 무늬를 만들어서
아래에 있는 옷들을 완성해 보세요.

팁!!
위아래로 뻗은 수직 줄무늬는 늘씬해 보이게 하고, 좌우로 뻗은 수평 줄무늬는 그 반대 효과를 낼 수 있어요!

팁!!
과감하게 고르세요!
패턴 조각들을 이것저것 다양하게 짝지어 보면서, 어떤 패턴이 가장 잘 어울리는지 찾아보세요.

Getting started

패션쇼 준비하기

패션쇼에 선보일 다양한 종류의 옷이 여기 있어요!
각 옷의 색과 무늬를 결정하는 연습을 해 보세요.

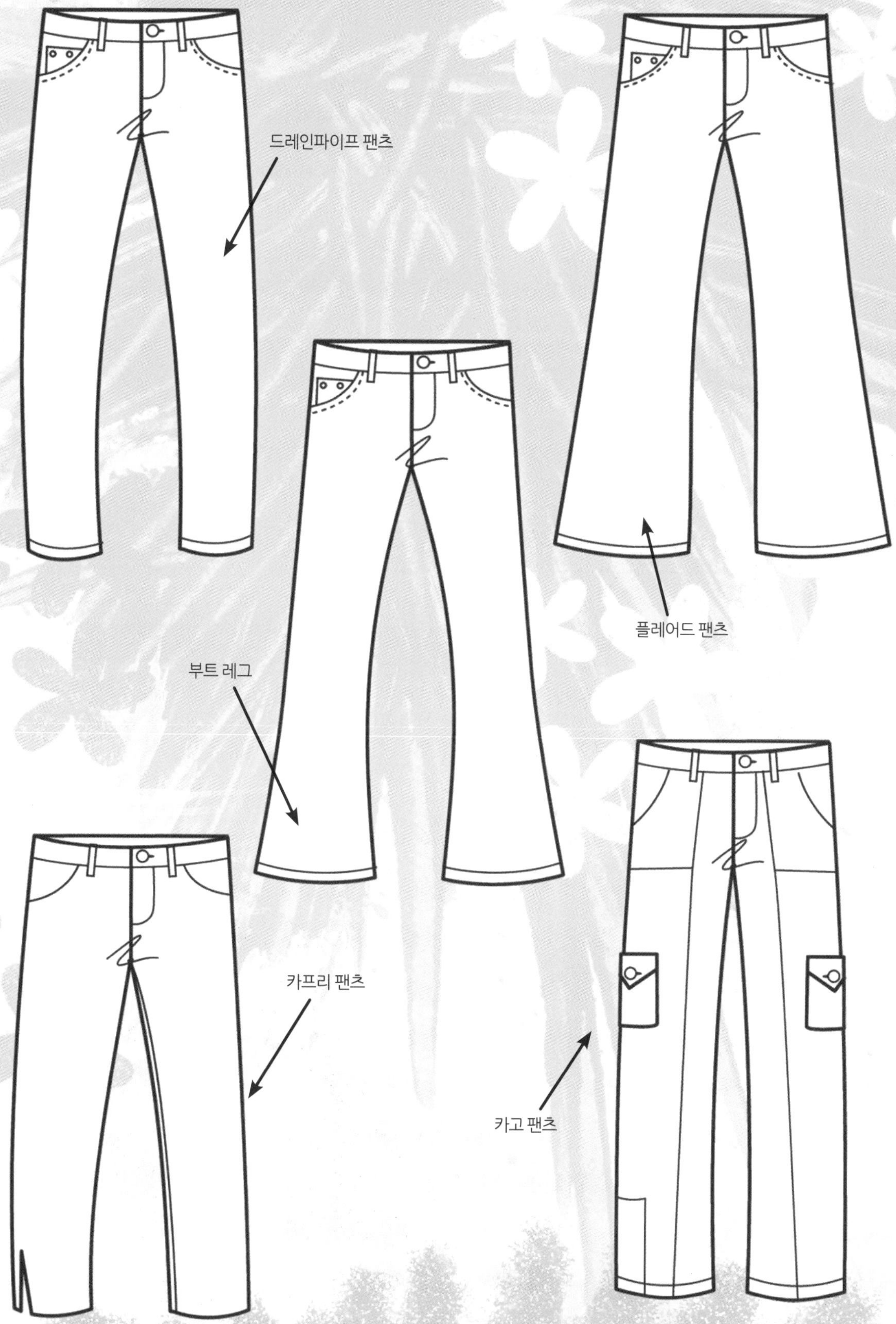

팁!!

잊지 말고 여러분이 고른 한 벌의 의상에 어울리는 장신구를 골라 보세요.
벨트, 선글라스, 신발, 모자를 함께 하면 좋겠지요.
아니면 팔찌와 목걸이 같은 보석으로 치장하는 건 어떨까요?

Beautiful barnets 멋진 헤어스타일

번뜩이는 아이디어로 여러분의 모델에게 새롭고 특이한 머리 모양을 시도해 보세요! 헤어스타일을 스케치할 때에는 우물쭈물하지 마세요. 과감하게 스케치할수록 모델의 전체 모습이 더 멋지게 보이니까요. 패션쇼 사진을 구해서 확인해 보세요. 모델의 머리 모양에 놀랄걸요? 아래 그림에서 다소 얌전한 헤어스타일 몇 가지를 살펴보세요. 다음 페이지에서는 여러분이 생각한 헤어스타일을 그려 보세요.

팁!!

머리카락 느낌을 살리려면, 선을 가늘게 빠른 속도로 그으세요. 머리카락 한 올도 흐트러지지 않은 완벽한 머리 모양을 하고 있는 건 인형밖에 없을 거예요. 머리카락이 약간 들쭉날쭉하거나 머릿단이 뾰족뾰족해도 괜찮아요!

What's in vogue?

무엇이 유행하고 있나요?

여러분이 직접 패션 잡지의 표지를 꾸며 보세요.

FASHIONISTA FIX

TREND SETTERS

A royal wedding

성대한 결혼식을 올려요

결혼식 파티 때 입을 옷을 그려 주세요!

FASHION

기억하세요

신부라고 꼭 흰색 드레스를
입을 필요는 없어요!

On holiday 바다로 떠나요

FASHION

FASHION

FASHION

Catwalk queens

패션쇼 무대에 서요

팁!!

여러분이 디자인한 옷을 좀 더 아기자기하게 꾸밀 수 있는 좋은 방법이 있어요. 옷단을 따라 바늘땀을 넣는다거나 무늬가 있는 옷감을 사용하면 좋아요. 또 망사를 덧대거나 반짝이는 느낌을 내기 위해 스팽글과 구슬을 붙일 수 있어요.

Festival wear

음악에 맞춰 춤을 춰요

FASHION

Party time!

즐거운 파티!

FASHION

FASHION

At the park

공원에서 산책해요

Wedding of the year

최고의 결혼식

팁!!

레이스는 웨딩드레스를
만들 때 자주 쓰이는
재료예요.

FASHION

A lunch date

친구를 만나러 가요

At the awards

시상식장에서

FASHION

팁!!

잊지 말고 48~49쪽에 있는
패턴 고르는 방법을 확인하세요.
새로운 아이디어를 떠올리는 데
도움이 될 거예요.

Texture cheats

텍스처 표현하기

텍스처란 옷감의 겉모양과 느낌을 의미해요.
지금부터 옷감을 고르는 방법과 고른 옷감을 아주 실감 나게 그리는 방법에 대해 알아볼 거예요.

데님: 데님은 푸른색의 질긴 면직물로 청바지를 만드는 데 많이 쓰여요.
진하기가 다른 파란색 계통의 색연필 몇 가지로 바탕을 칠한 다음에, 약간 밝은색으로 선들이 비스듬하게 교차되도록 그으세요.

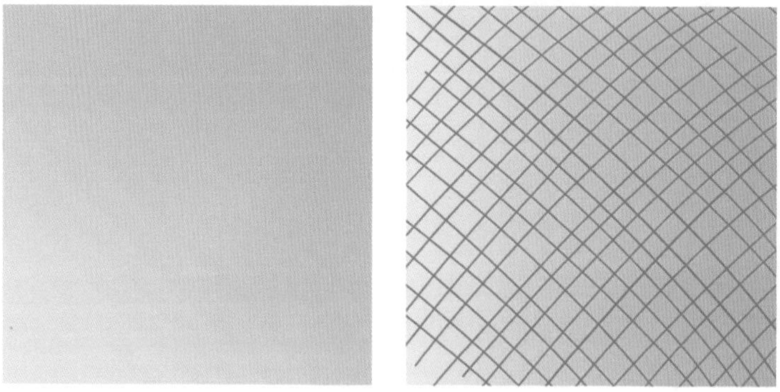

레이스: 레이스는 아주 부드럽고 망사 같은 천이에요. 조금 복잡하긴 하지만 진짜 레이스처럼 보이게 그리는 방법이 있어요! 우선, 심이 부드러운 연필로 옷의 윤곽을 그리세요. 그 다음, 레이스 재질을 표현하고 싶은 곳에 비스듬한 선들을 아주 촘촘하게 교차되도록 그리세요. 자를 대고 그은 것처럼 선이 반듯해야 하는 건 아니에요!
그 다음에는 더 정교하고 자세하게 무늬를 그려 넣는 거예요. 레이스에는 대개 꽃무늬가 들어가요. 약간 진한 연필로 비스듬한 교차선들 위에 무늬를 반복해서 그려요.
레이스 가장자리에 주름장식을 그려 넣어 보세요. 어때요, 예쁘죠?

팁!!

연필심을 날카롭게
유지해야 비스듬한 교차선
효과가 잘 나타나요!

팁!!

끝이 뾰족한 중성펜을 이용해 다양한 크기의 점을 그려 넣고 반짝임과
장식을 추가하면 멋진 의상 텍스처를 만들 수 있어요.

새틴: 새틴은 비단과 나일론을 섞어 만든 천이에요. 부드럽고 윤이 나서 주로 화려한 드레스를 만들 때 쓰여요. 이렇게 윤이 나는 텍스처를 그리는 비법은 바로 대조예요. 새틴 느낌을 표현하려면, 기본색으로 옷 전체를 꼼꼼하게 칠해서는 안 돼요. 옷을 가로지르며 듬성듬성 칠하세요. 미처 칠하지 못한 하얀 부분을 군데군데 남겨두는 거예요. 그래야 옷감 표면에 빛이 반사되는 것 같은 느낌이 나요. 기본색보다 더 어두운 색으로 선을 덧그리면 윤이 나는 느낌을 더 살릴 수 있어요.

아래 칸에 데님, 레이스 그리고 새틴 그리기 연습을 해 보세요.

Design your ideal outfit.

여러분이 꿈꾸는 옷을 그려 보세요.

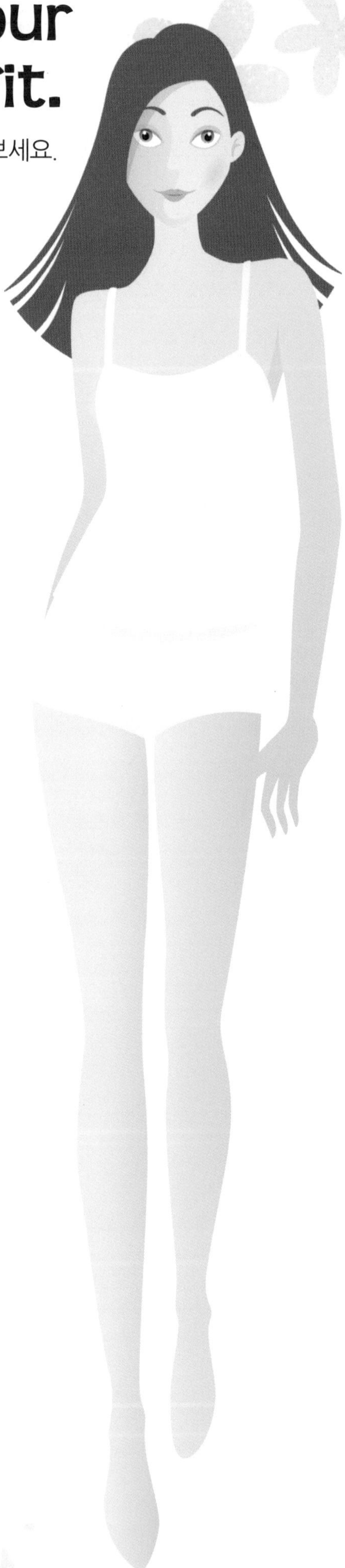

LANDSCAPES

풍경

원근법에 대해 자세히 알아보고,

비율을 제대로 잡는 요령들을 배워요.

다양한 경치 그리기에 한번 도전해 보세요.

LANDSCAPES

풍경

풍경은 광활한 자연의 경치를 뜻하는 미술 용어입니다.
보통 '풍경'이라는 단어를 들으면 아주 시골 같은 곳이 떠오르지만
이 책이 《뭐든지 그려요》인 만큼 다양한 경치를 다룰 거예요.
자연이든 인물의 주변 환경이든 풍경은 그림의 중요한 요소예요.
여러분이 좋아하는 그림이나 사진을 한번 살펴보세요.
그중에 배경이 아예 없는 것이 얼마나 있나요?
아마 어떤 장소나 상황이 담긴 것이 대부분일 거예요.

팁!!

'풍경' 이라는 단어는 그림의 방향을 일컬을 때도 쓰여요.
가장 흔히 쓰이는 그림 방향은 바로 풍경화 방향과 인물화 방향이에요.
어떻게 이런 이름이 붙여졌는지 짐작이 가나요?
풍경화는 높이보다 너비가 긴 그림이에요.
화가들은 종종 자연의 경치를 그리기 위해 풍경화 방향을 써요.
그리고 인물화는 너비보다 높이가 긴 그림이에요.
대개 초상화를 그릴 때 사용되지요.

'풍경' 하면 첫 번째로 떠오르는 그림을 여기에 그려 보세요.

LANDSCAPES

IT'S ON THE HORIZON 지평선

지평선은 지구 표면이 하늘과 맞닿아 이루는 선을 말해요.
때때로 지평선은 수평선이라고도 하는데, 해변에서 아주 뚜렷하게 보여요.
바다가 하늘과 만나서 하나인 것처럼 보일 때 말이죠.

지평선의 위치에 따라 그림의 초점도 변해요. 지평선을 위로 옮기면 낮은 곳에서 바라보는 것처럼 느껴지고, 지평선을 아래로 옮기면 높은 곳에서 바라보는 것처럼 느껴지지요. 오른쪽에 있는 그림들을 확인해 보세요. 지평선이 이 장면들에 어떤 변화를 준다고 생각하나요?

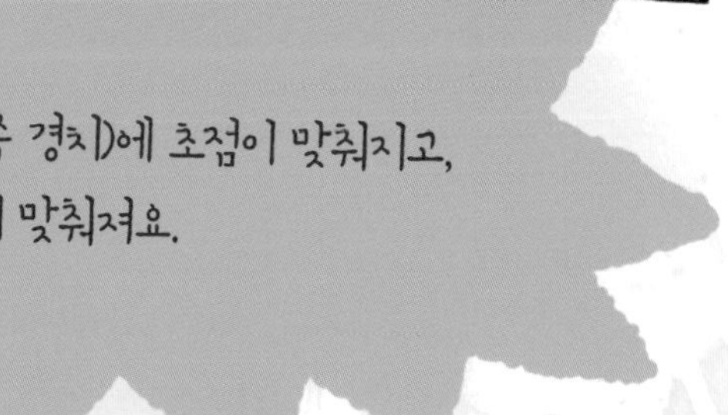

팁!!

지평선을 종이 위쪽에 그려 넣으면 그림의 전경(앞쪽 경치)에 초점이 맞춰지고,
지평선을 끌어내리면 하늘에 초점이 맞춰져요.

아래 그림에 지평선을 그려 넣으세요.
하나는 위쪽에, 또 하나는 아래쪽에 그려 보세요.
지평선이 그림에 어떤 영향을 주는지 이해가 되나요?

팁!!

잊지 마세요! 지평선을 '선' 이라고 부른다고 해서 직선으로만 그릴 필요는 없어요.
산 경치로도 지평선과 같은 효과를 낼 수 있어요.
단, 절대 직선으로 그리면 안 되겠죠?

PERSPECTIVE

원근법

풍경화를 그릴 때 그림이 어색해 보이지 않게 하려면 원근법을 제대로 알고 있어야 해요.
원근법은 편편한 종이에 입체감과 거리감을 느낄 수 있도록 표현하는 방법이에요.
바깥 풍경을 한번 보세요. 가까이 있는 것들보다 멀리 있는 것들이 얼마나 더 작게 보이는지 관찰해 보세요. 아무리 그래도 우편함만 한 집이라니!
아래 그림을 보세요. 전경에 보이는 돛단배가 멀리 있는 배보다 훨씬 커요.
실제로는 멀리 있는 원양선이 훨씬 큰데도 말이에요.

자, 이제 여러분은 대상이 멀리 있을수록 점점 작게 보인다는 사실을 알게 되었어요.
그렇다면 얼마나 작게 그려야 하는지 어떻게 알아낼 수 있을까요? 이때가 바로 소실점이 필요한 순간이에요! 화가들은 소실점으로 거리감을 표현해요. '소실점'에 모이도록 선들을 긋지요. 소실점은 지평선 위로는 있을 수 없어요.
아래 그림에서 지평선은 빨간 선, 소실점은 파란 점이에요. 소실점 너머로는 볼 수 없어요!

거리 풍경을 완성해 보세요.

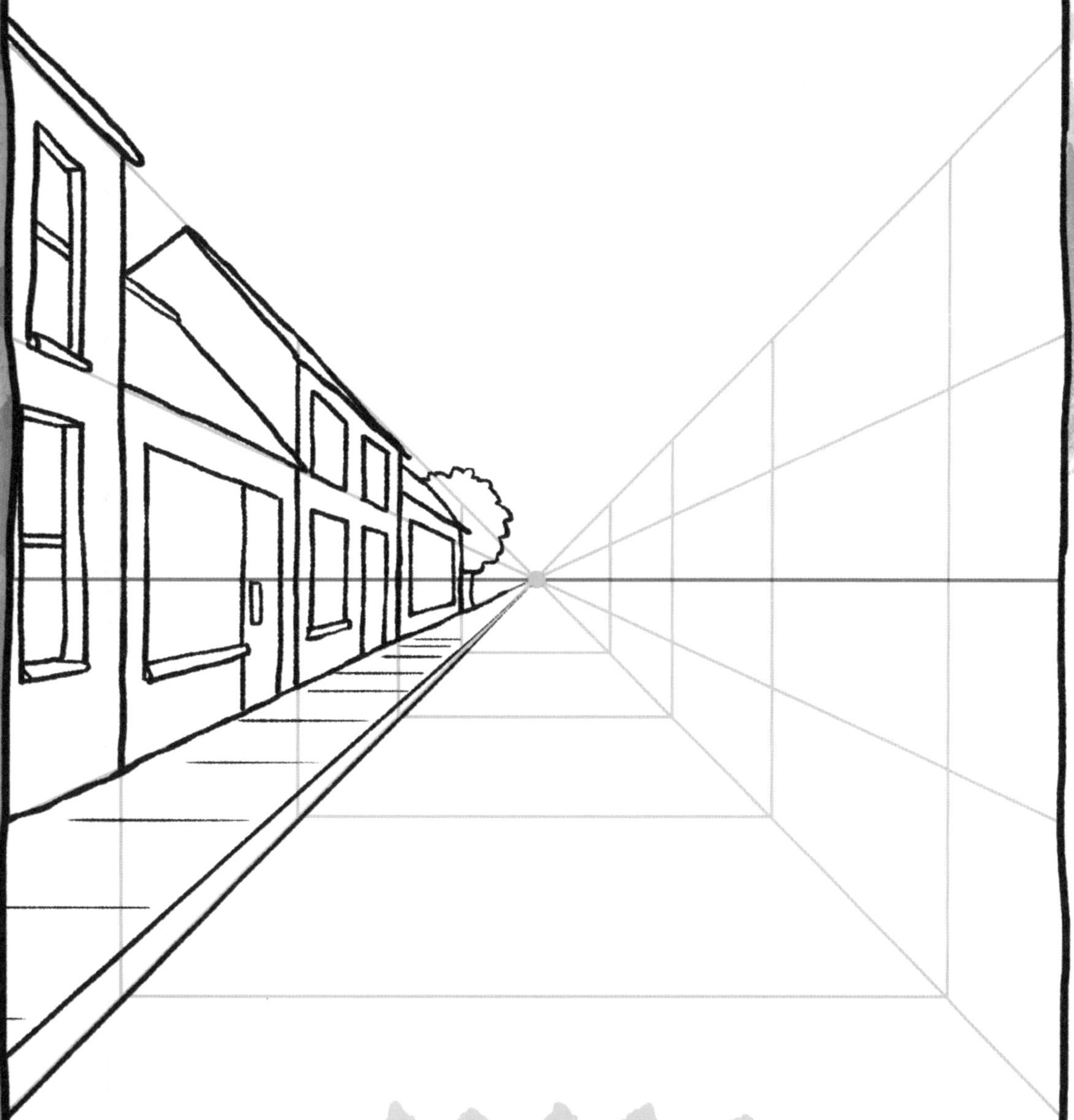

팁!!

대상이 멀리 있으면 자세한 생김새는 보기가 어려워져요.

페이지를 90도로 돌려놓고, 수평선과 소실점을 이용해서 부두의 풍경을 길게 그려 보세요.

수평선과 소실점을 이용해서 정글 풍경을 그려 보세요.

팁!!

주변을 찬찬히 둘러보세요. 걷고 있거나, 차를 타고 있거나, 혹은 비행기를 타고 하늘을 날 때도, 여러분의 시점에서 무엇이 어떻게 보이는지, 비율에 신경 써서 살펴보세요.

FOREGROUND, MIDDLE GROUND, BACKGROUND

전경, 중경, 배경

그림에서 멀고 가까운 느낌을 표현하는 또 다른 방법은 화면을 전경, 중경, 배경, 이렇게 세 부분으로 나누는 거예요.
전경은 보는 사람의 시선에서 가장 가까운 부분이에요. 그림의 가장 앞쪽에 있죠.
중경은 그림 중간에 보이는 부분이에요. 마지막으로 배경은……, 말 그대로 배경이에요!
제일 멀리 있는 곳이죠. 그러니까 비율로 따지면 제일 작게 그려야 하는 부분이죠!
풍경을 상상하거나 기억 속의 풍경을 그리고자 할 때는 이 세 가지와 원근법을 함께 고려하세요.
아래 그림을 한번 보세요. 전경, 중경, 배경이 각각 어디인지 말할 수 있나요?

팁!!

이 방법을 적용할 때, 배경에는 흐리고 칙칙한 색을,
전경에는 좀 더 강렬한 색을 써 보세요.

이 페이지는 세 부분으로 나뉘어 있어요.
페이지를 90도로 돌려서 전경, 중경, 배경을 생각하며 한 장면을 그려 보세요.
어떻게 하면 원근감을 표현할 수 있을까요?

PROPORTION CHEATS!

비율 잡는 요령!

삼각대 앞에 서 있는 사람을 본 적이 있나요?
연필을 들고 한 곳을 뚫어져라 바라보는 모습을 보면 뭘 하고 있는 걸까 하고 궁금한 적은 없나요? 사실 그 사람들은 비율을 맞춰서 그리려고 애쓰고 있는 거예요.
눈앞에 보이는 경치를 화폭에 복사하듯 그대로 그리기 위해서지요.
화가는 그리는 대상을 연필과 비교해서 바라본 다음, 아까 연필로 잰 부분을 떠올리며 종이에 그려요.
보통 화가들은 종이를 다섯 부분으로 나눠요.
아주 과학적인 방법은 아니지만, 종이 위에 기본적인 비율을 맞춰서 그릴 때 유용해요.
이 방법을 쓰고자 한다면, 팔은 항상 쭉 뻗은 상태를 유지하고 움직여서는 안 돼요.
팔을 움직이면 연필이 그리고자 하는 대상에서 멀거나 가까워져서 그때마다 치수가 바뀌기 때문이에요.

비율을 잡는 연습을 하기 위해 경치가 좋은 곳에 자리를 잡으세요.
연필을 거꾸로 들고 서서 눈앞에 보이는 풍경을 연필로 재면서 나누어 보세요.
그런 다음, 아래의 빈 곳에 여러분이 본 것을 그려 보세요.

팁!!

그리려는 대상의 맨 윗부분과 연필 끝을 나란히 보이게 해요.
되도록 연필심을 스케치하고 싶은 장면의
맨 아래쪽에 오게 잡으세요.

HOW TO USE YOUR VIEWFINDER

뷰파인더 사용하는 방법

뷰파인더는 무척 유용한 도구예요.
뷰파인더로 그림에 어떤 장면을 담을지 실제로 확인하고 결정할 수 있으니까요.
옆 페이지에 견본 뷰파인더가 실려 있어요.
페이지를 뜯어서 두꺼운 종이에 붙인 다음, 어른들께 점선을 따라 오려 달라고 부탁하세요.
두꺼운 종이가 없다면 견본 그대로 사용하세요.
풍경을 그릴 때, 바라보는 쪽으로 뷰파인더를 고정하거나 들고 있어요.
뷰파인더는 말 그대로 여러분이 그리고자 하는 장면에 액자처럼 테두리를 둘러 주는 역할을 해요.
이렇게 하면 화폭에 어떤 장면을 담고, 어떤 구도로 그리는 것이 좋은지 결정하기가 쉬워져요. 처음에는 어디쯤에 무엇을 그릴지 표시하는 정도로 아주 기본적인 것만 스케치하세요.
뷰파인더를 들고 있던 위치를 잊어버리지 않도록, 풍경에서 특이한 부분에 뷰파인더의 한쪽 모서리를 맞추세요.

아래의 빈 곳에 뷰파인더를 이용해 그림을 그려 보세요.

풍경을 그리기에 적합하도록 페이지를 90도로 돌리세요.

더 많이 그리고 싶다면 이 책의 뒷부분에 있는 빈 페이지들을 이용하세요!

팁!!

풍경을 그릴 때는 세세한 것을 모두 담아야 한다는 생각을 버리세요.
그렇게 그리려면 며칠 동안 거기에 서 있어야 할 거예요!
세밀한 풍경을 담고 싶으면 카메라로 찍어요.

HOW TO DRAW DIFFERENT SCENERY

다양한 경치 그리는 법

세상에는 많은 풍경화가 있어요. 그 풍경화들이 모두 실제 경치를 보고 그린 것은 아니에요. 가끔은 사진을 보고 그리기도 하고, 기억 속의 경치를 떠올리며 그리거나, 자기가 만들어 낸 상상 속의 풍경을 그리기도 하지요. 문제 될 건 없어요. 여러분이 그리는 것이 실제 모습과 어느 정도 비슷하기만 하면 돼요. 아주 다르게 그린다면 무엇을 그린 그림인지 아무도 못 알아볼 테니까요! 여기에는 풍경의 여러 가지 요소를 그리는 간단한 방법이 나와 있어요.

MOUNTAINS 산

HILLS 언덕

LANDSCAPES

CALM WATER 고요한 바다

CHOPPY SEA 잔잔한 물결이 이는 바다

ROUGH SEA 거센 파도가 치는 바다

DESERT 사막

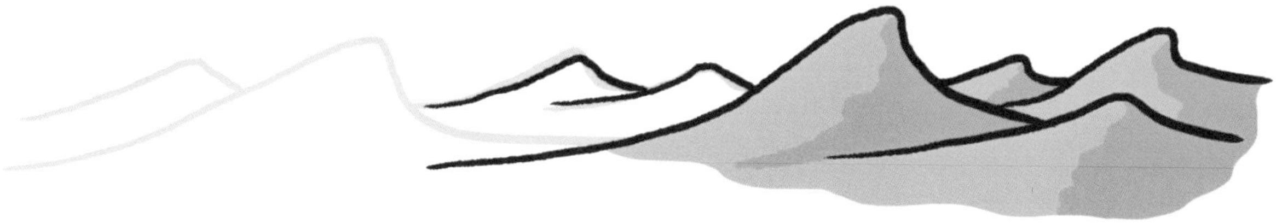

CITY SKYLINE 도시의 지평선

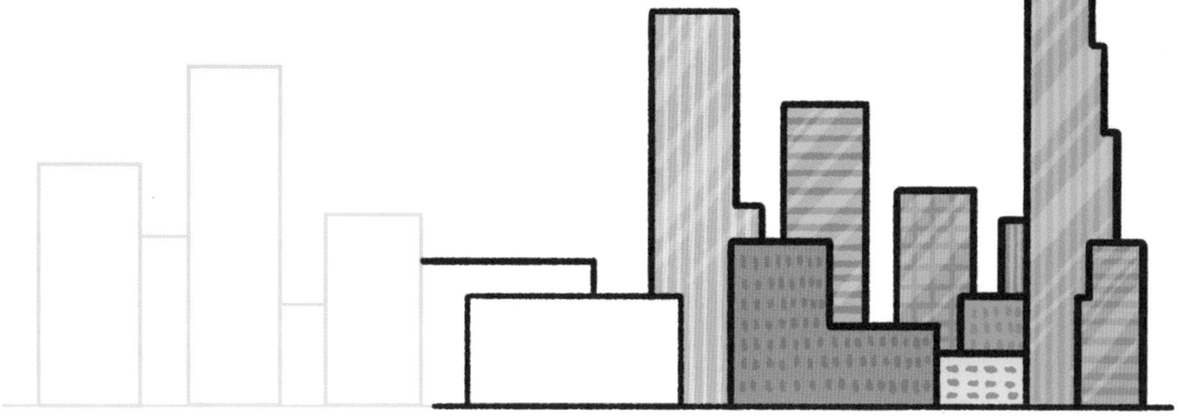

앞에 소개된 풍경의 여러 가지 요소를 그리는 연습을 해 보세요.

LANDSCAPES

팁!!

여러분의 그림에 항상 사인을 하고 날짜를 기록하세요.
날이 갈수록 여러분의 실력이 얼마나 좋아지는지 알아볼 수 있어요.

LANDSCAPES

MORE SCENERY

더 많은 경치

TREES 나무

팁!!

나무의 몸통을 그릴 때 나무껍질을 그리는 것을 잊지 마세요.
기다란 선을 불규칙하게 그려 넣으면 나무껍질의 느낌을 살릴 수 있어요.

BUSH 덤불

GRASS 풀

STONY PATH 돌이 많은 길

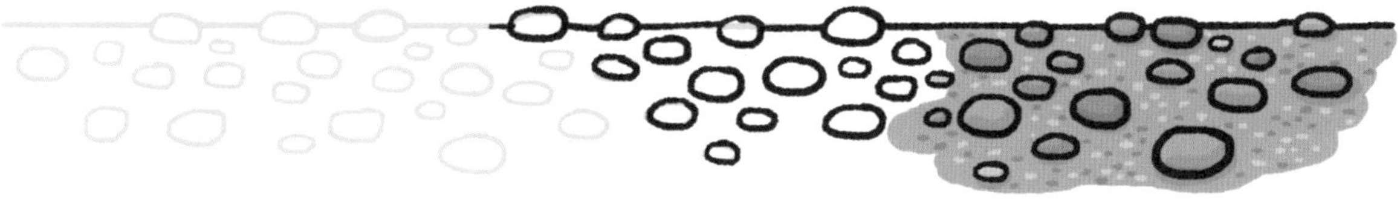

ROCK 바위

FENCE AND PATH 울타리와 길

앞에 소개된 풍경의 여러 가지 요소를 그리는 연습을 해 보세요.

LANDSCAPES

이제까지 배운 풍경의 요소들을
모두 활용해 보는 것은 어떨까요? 원한다면
페이지를 90도로 돌려서 그려 보세요.

IMAGINATION STATION

상상의 세계

지금까지 우리는 익히 알고 있고 알아볼 수 있는 풍경들을 그리는 과정을 살펴보았어요.

그런데 상상의 세계를 그리는 것은 어떨까요?

이제 여러분이 상상한 것을 그려 보는 시간이에요!

여기에 요정의 마을에서나 나올 법한 몇 가지가 있어요.

원근법과 비율을 잊지 마세요!

IN YOUR MIND 내 마음 속 풍경

아래에 있는 여러 가지 풍경 중에서 하나를 고른 후, 상상력을 발휘해서 옆 페이지에 그려 보세요.

비밀 정원

요정이 사는 숲 속 나라

공주가 사는 성

바닷속 왕국

조랑말들이 뛰노는 들판

LANDSCAPES

CHANGE WITH THE SEASONS

계절의 변화

때때로 날씨에 따라 그림의 느낌이 완전히 달라질 수 있어요.
예를 들어, 여러분이 붐비는 거리를 내려다보고 있는데 비가 퍼붓는다면,
우중충하고 우울한 기분이 느껴질 거예요.
그때는 비를 지우고 따사로운 햇살을 그려 넣어 보세요. 그림이 칙칙하지 않고 환하고
발랄해져요! 또 여러분이 선택한 날씨가 계절을 나타내기도 해요.
각기 다른 계절에 경험할 수 있는 날씨들을 확인해 보세요.
각 그림 밑에 날씨에 따라 어떤 느낌이 드는지 써 보세요.

팁!!

비를 그릴 때는 빗방울들이 같은 방향으로 떨어지도록
그려야 한다는 점을 기억하세요.

똑같은 장면을 각기 다른 계절로 그려 보세요.

IT'S IN THE SHADOWS!

그림자가 생겼어요!

빛은 그림에 명암을 표현할 때 이해해야 할 제일 중요한 요소예요.

빛! 빛의 방향은 아주 중요해요. 어두워지는 면과 그림자가 드리워지는 방향을 빛의 방향이 결정하니까요.

표면 그림자 사물의 여러 면 가운데 빛을 전혀 받지 못하는 면을 말해요.

투영 그림자 사물이 빛을 막고 서 있어서 빛을 전혀 받지 못하는 부분을 말해요.

잊지 마세요! 빛은 휠 수 없어요.
그리고 빛과 사물 사이에 다른 어떤 사물이 중간에 놓여 있으면, 빛은 그 중간에 있는 사물을 통과할 수 없어요. 그래서 자연히 사물 뒤로 그림자가 생기게 돼요.
그림에 그림자가 없으면 딱 티가 나요!
현실에서 햇볕이 내리쬐는 곳에 있을 때 그림자가 어디에 있을지 관심을 갖지는 않죠.
하지만 그림에 그림자가 없다면 사물들이 아주 이상하게 보일 거예요!

SHADING 명암법

실생활에서 사물들이 납작하게 보이는 일은 거의 없어요. 명암이 생기기 때문이지요.
그림에 명암을 넣지 않으면 2차원처럼 납작하게 보일 거예요.
아래의 명암 상자를 보세요.
이 회색 명암 띠는 연필 하나로 만들 수 있어요.
색의 강도와 세기를 다양하게 조절하기만 하면 돼요.
또한 명암으로 그림에 깊이와 분위기를 표현할 수 있어요.

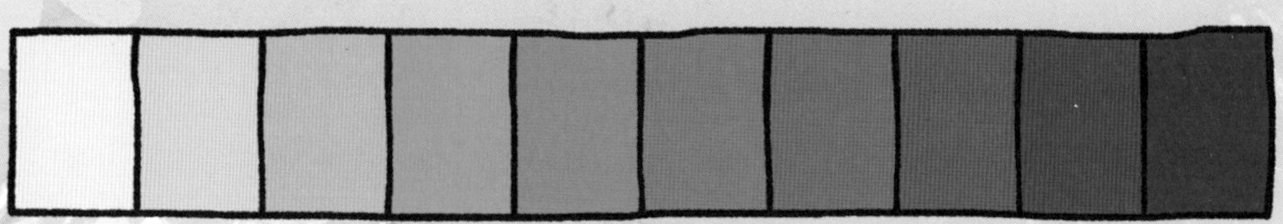

HOW TO SHADE 명암 표현하는 법

명암을 표현하기 위해 연필을 종이 위에 댄 다음, 연필을 누르는 힘을 실험해 보세요.
가장 진한 어둠을 나타내려면 종이에 연필을 세게 누르지 말고,
연필심을 좌우로 여러 차례 왔다 갔다 하며 겹겹이 칠하세요.
이런 방법은 종이나 연필에 무리를 주지 않으면서도 상당한 효과를 낼 수 있어요.
아래에 있는 명암 상자에 다양한 밝기의 회색 띠를 위와 똑같이 만들어 보세요.

명암을 넣을 때는 주저하지 말고 과감하게 시도하세요.
연필로 옅게 선을 그어 시작하면 쉽게 지울 수 있어요!
그림자를 표현할 때 자주 쓰이는 다른 방법으로는 평행선 긋기와
십자 평행선 긋기가 있어요.

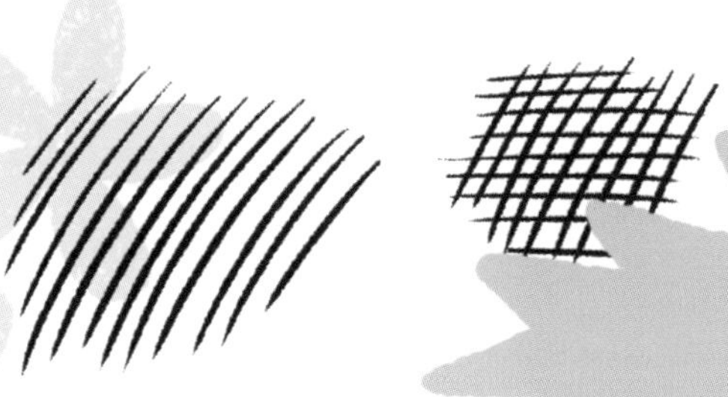

팁!!

명암을 넣으면 원근감이 생겨요!

다음 그림에 해와 그림자를 그려 넣어 보세요.

FAMOUS LANDMARKS

유명한 대표 건축물들

건축가가 되면 어떨까 하고 생각해 본 적 있나요?
자, 여기서는 건물 그리기를 시도해 볼 거예요!
건물을 그릴 때는 주로 직선을 많이 사용해요!
이 직선들은 평행을 이루곤 하는데, 아마 자를 달라고 하고 싶을지도 몰라요!
에펠탑과 타지마할 그림을 보세요.
이 그림이 그려질 때 화가는 어디에 있었을지
알아낼 수 있나요?
옆 페이지에 두 건축물을 한번
따라서 그려 보세요.
격자선을 긋는 건 어때요?
작업에 도움이 될 거예요.

팁!!

어떤 화가들은 그림이 비율에 맞는지
확인하는 좋은 방법이 그림을 거울에
비춰 보는 것이라고 생각했어요.
이렇게 하면 거울에 비춰 보기
전까지는 보이지 않던 단점들을
발견하는 데 도움이 될 거예요.

여러분이 좋아하는 장소나 건물을 그려 보세요.

그전에 가로로 길게 그리는 게 적합한지, 아니면 세로로 길게 그리는 게 적합한지 결정하세요.

EXPERIMENT

새로운 시도

이번에는 현대 미술의 역사를 돌아보는 시간이에요.
시대별 그림 스타일을 알아 보고 중요한 특징들을 중심으로
따라 그려 보는 시간을 가져 봐요.

WHAT IS ART?

미술이란 무엇일까요?

미술은 꼭 유명한 미술관에 걸린 그림만 뜻하지 않아요.
색칠하지 않은 그림, 사진, 모자이크, 콜라주(종이, 사진 등의 재료를 오려 붙여 만든 작품), 조각, 그리고 설치물도 미술이에요. 미술은 언제 어디에서나 찾을 수 있어요.
미술관, 집 안, 상점, 교회, 담벼락, 티셔츠, 사진첩 겉표지에서도 말이지요.
미술 작품이 꼭 예쁘고 섬세해야 하는 것도 아니에요.
커다랗고, 대담하고, 발랄하고, 가끔 충격적일 수도 있지요.
여러분도 이제 알게 되겠지만, 미술 작품이 꼭 실제 생활 모습과 똑같아야 하는 건 아니랍니다! 수많은 미술 작품은 아주 주관적이에요.
여러분의 마음에 꼭 들 수도 있고, 아주 마음에 안 들 수도 있어요!

미술의 목적은 무엇일까요?

여러 가지 목적이 있을 거예요. 가장 분명한 목적은 사람들이 보고 즐기는 작품을 창작한다는 것이지요. 몇몇 화가는 역사적으로 중요한 순간을 기리기 위해 작품을 창작해요. 혹은 어떤 대상을 감상한 뒤 받은 독특하고 강렬한 느낌을 표현하기 위해서 작품을 만들어 내기도 하지요. 어떤 예술가들은 당시의 정치 상황에 맞서기 위해 작품을 창작했어요. 그 예로 다다이즘과 초현실주의 작품을 확인해 보세요.

알고 있나요?

파블로 피카소는 자연의 모습을 정육면체와 구, 그리고 원뿔이라는 세 가지 입체 도형으로 표현할 수 있다고 생각했어요. 이런 생각을 바탕으로 역사상 처음으로 입체파 그림을 완성했답니다.

미술은 어떻게 시작되었을까요?

미술은 수천 년 전부터 있었어요. 선사시대 사람들은 동굴 벽에 그림을 그리고 색을 칠했어요. 가장 오래되었다고 알려진 동굴벽화는 4만 년 전에 그려졌답니다!

선사시대 사람들은 무엇으로 그림을 그렸을까요?

최초의 선사시대 미술 작품 이래로, 그리기 재료는 엄청나게 진화했어요. 초기 동굴벽화는 물, 동물성 지방, 그리고 여러 가지 색깔의 흙을 섞어서 그려졌어요.
고대 이집트인들은 파피루스에 그림을 그렸지요. 파피루스는 양피지와 비슷했어요. 양피지는 동물 가죽으로 만들어져요……. 윽! 다만, 파피루스는 나일 강 기슭에 자라는 풀로 만들어졌답니다.

역사를 통틀어, 생각과 감정을 예술로 표현하는 방식과 재료는 아주 빠르게 발전했어요.
이 점에 대해 더 알고 싶다면 이번 소단원을 계속 읽어 보세요!

알고 있나요?

몇백 년 전에는 녹슨 구리 접시에서 긁어 낸 찌꺼기로 초록색 물감을 만들었어요!

ART YOU KNOW

내가 아는 미술 작품

아래에 여러분이 알고 있는 화가와 그림을 모두 써 보세요.

이 소단원을 다 끝낸 후에는 여러분이 쓴 목록에 새로 알게 된 것을 써 보세요.

팁!!

유명한 미술 작품에서 다룬 주제로 그림을 한번 그려 보세요.
무얼 그려야 할지 막막할 때 이 페이지에 써 놓은 목록이
도움이 될 거예요. 자주 쓰이는 주제로는 자연, 사랑,
그리고 행복이 있어요.

WHAT CAME BEFORE MODERN ART?

현대 미술 이전에는 어땠을까요?

미술이 얼마나 오랫동안 이어져 왔으며, 그동안 얼마나 다양한 종류의 미술이 나타났는지 더 잘 알고 싶다면, 이 연대표를 꼼꼼히 살펴보세요.

석기시대
(기원전 4만 년~기원전 2500년)
이 시기의 미술 작품은 커다란 돌과 동굴 벽에 그려졌어요. 동굴벽화에서 가장 흔한 주제는 동물들, 사냥, 그리고 추상적인 형태들이었어요.

이집트 시대
(기원전 3100년~기원전 30년)
이 시기의 미술은 아주 정교한 형식을 갖추고 있었고 숨은 의미를 담고 있었어요. 피라미드와 스핑크스와 같은 유물이 유명하지요.

그리스와 헬레니즘 시대
(기원전 850년~기원전 31년)

로마제국 시대
(기원전 500년~기원후 476년)
로마인들은 건축, 회화, 조각 그리고 모자이크 작품으로 유명해요.

중세
(기원후 1066년~1485년)

르네상스(1400년~1550년)
프레스코는 이 시기에 아주 유명한 그림 기법이었어요. 미켈란젤로가 시스티나 성당 천장에 프레스코 기법으로 그림을 그렸지요.

마니에리즘
(1527년~1580년)

바로크 시대
(1600년~1750년)
바로크 시대의 조각, 회화, 건축, 문학, 무용, 그리고 음악은 과장되고 웅장한 느낌이 들어요.

인상주의
(1865년~1885년)

입체파(1905년~1920년)
기하학적인 모양들을 활용해 추상적인 그림을 그렸어요.

리얼리즘
(1848년~1900년)
정확하고 객관적으로 세계를 묘사해요.

추상표현주의(1940년~1960년)
무의식을 활용해 불안한 마음을 다양한 방법과 도구로 표현해요.

신조형주의(1910년~1930년)
완전한 추상화를 주장, 몇 가지 색깔과 모양으로 표현해요.

후기모더니즘과 해체주의
(1970~지금까지)
수많은 브리콜라주, 콜라주, 그리고 행위 예술을 이용했어요.

후기인상주의(1885년~1910년)
인상주의 미술에서 생겨났어요. 후기인상주의 화가들은 인상주의 미술에 견고한 형태가 부족하다고 느꼈어요.

팝아트
(1950년대~1970년대)
순수미술에 정면으로 맞섰어요.

다다이즘과 초현실주의(1916~1950)

신고전주의와 낭만주의
(1750년~1880년)
고전적인 우아함과 장엄함을 되살렸어요.

미래파(1905년~1920년)
미래의 모습을 상상하고 추구했어요!

야수파와 표현주의 미술(1900년~1935년)

EXPERIMENT

IMPRESSIONISM (1865-1885)

인상주의(1865년~1885년)

현대 미술은 언제 시작되었나요?

인상주의 미술은 1960년대에 프랑스에서 시작되었어요.
그 당시 인상주의 미술은 너무나도 새로워서 골치 아픈 논쟁거리였어요.
미술에 대한 사람들의 상식을 바꿀 정도로 말이지요.

인상주의 미술의 특징은 무엇일까요?

인상주의 화가들은 기존과는 다른, 새로운 스타일을 시도한 화가들이었어요.
인상주의 화가들도 다른 화가들과 마찬가지로 여전히 풍경화를 그리고자 했어요. 다만, 더 이상 화실에 틀어박혀 그리지는 않았지요. 그때까지 화가들은 캔버스 위에 여러 색깔을 몇 겹으로 덧칠해서 그림을 그렸어요. 몇 주가 걸리는 작업이었지요. 하지만 인상주의 화가들은 간편하게 원하는 색깔을 한 번에 칠했어요. 이렇게 해서 실제 풍경을 아주 빠르게 그릴 수 있게 되었고, 일정한 시간 안에 특정한 순간을 잡아내어 그리는 것이 가능해졌답니다.
정물화에서 벗어난 인상주의 화가들은 윤곽을 뭉뚱그리면서 부드럽고 짧은 붓질로 그림을 그렸어요. 빛과 움직임을 감각적으로 표현하기 위해서였지요. 클로드 모네는 일 년 중 서로 다른 때, 그리고 하루 중 서로 다른 시간대에 수련이 떠 있는 연못을 여러 장 그렸어요. 그림을 그리는 시간에 따라 빛이 변하는 과정을 보여 주기 위해서였지요. 이 작품들은 모네의 작품 중에서 제일 유명해요. 모네의 대표작들은 전 세계의 여러 미술관에 전시되어 있어요.

피에르 오귀스트 르누아르 〈카페에서〉

클로드 모네 〈수련〉

당시에 무슨 일이 일어나고 있었을까요?

1840년대부터 튜브형 물감이 사용되기 시작했어요. 덕분에 화가들은 이제 물감을 섞을 필요가 없었어요. 이전까지 원하는 색의 물감을 만드는 일은 아주 오랜 시간이 걸리는 힘든 작업이었어요. 뚜껑을 열었다가 다시 닫을 수 있는 알루미늄 튜브에 물감이 들어 있어서 화실 밖으로 간편하게 가지고 나갈 수 있었어요. 정말 새로운 세상이 열린 거예요.

위대한 화가와 작품

〈발레 수업〉-에드가르 드가

〈물랭 드 라 갈레트〉-피에르 오귀스트 르누아르

〈수련〉-클로드 모네

〈몽마르트의 거리〉-카미유 피사로

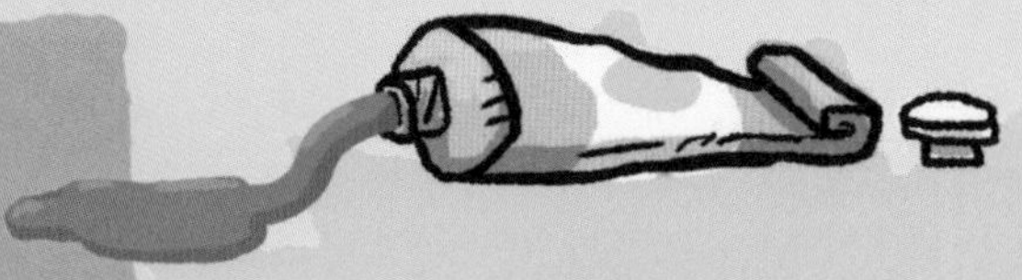

재미있는 사실!

'인상주의' 라는 이름은 클로드 모네의 그림 〈인상, 일출〉에서 따온 거예요.

POINTILLISM (1880s)

점묘법(1880년대)

점묘법은 조르주 쇠라가 개발한 기법이에요.
다양한 색깔로 수많은 점을 찍어서 그림을 완성해요.
여러 색깔의 점이 우리의 눈에는 하나의 형태로 보여요.

점묘법의 원리

작품을 약간 떨어진 곳에서 보면, 감상자의 눈에 색깔들이 혼합되면서 하나의 형체로 보이게 돼요. 색채 혼합 원리이지요. 색채를 대비시키고 다양한 명암을 주면서 작은 점을 촘촘히 찍으면, 이 점들이 조화를 이루면서 보는 사람의 눈에 어떤 형체를 떠올리게 하는 거예요. 이러한 원리는 복사기나 텔레비전에서도 쓰인답니다.

폴 바움 〈풍경〉

알고 있나요?

빈센트 반 고흐 역시 몇몇 작품을 점묘법으로 그렸어요. 1887년도에 그린 그의 자화상을 확인해 보세요.

위대한 화가와 작품

〈서커스 사이드쇼〉-조르주 쇠라

〈우물가의 여인들〉-폴 시냐크

모네의 〈수련〉을 한번 스케치해 보세요.

EXPERIMENT

이 페이지에서는 다양한 색깔의 색연필이나 사인펜으로
여러분만의 점묘화를 완성해 보세요.

EXPRESSIONISM (1900-1935)

표현주의(1900년~1935년)

표현주의 미술이란 무엇일까요?

그림으로 생각과 감정을 직접적으로 표현하는 것을 말해요.

표현주의 미술의 특징은 무엇일까요?

인상주의가 유행한 후, 화가들은 현실을 그대로 그린 형태에서 벗어나려고 계속 노력하면서 더욱 새로운 시도를 했어요. 표현주의 화가들은 강렬한 색채를 썼어요. 캔버스 위에 보이는 그대로 실물처럼 묘사하기보다는, 자신의 감정과 개성을 표현하기 시작한 거예요.

표현주의 화가들은 누구일까요?

빈센트 반 고흐는 표현주의 미술의 선구자예요. 처음에 그는 인상파 화가로서 그림을 그렸는데, 점차 밝고 특이한 색채를 쓰면서 표현주의 그림을 그리기 시작했어요. 반 고흐는 그만의 독특한 기법을 고안했어요. 유화물감을 크고 두툼한 붓으로 펴 바르고, 물감을 튜브째 들고 캔버스 위에 색을 입혔지요. 그의 작품 〈별이 빛나는 밤〉은 초기 표현주의 미술을 대표하는 작품이에요.

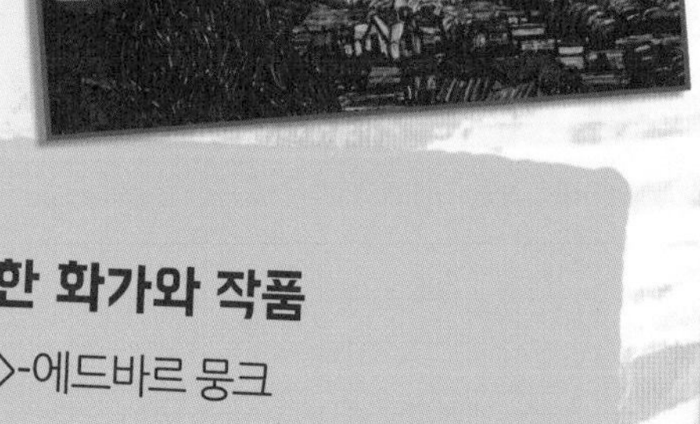

빈센트 반 고흐
〈별이 빛나는 밤〉

프란츠 마르크 〈동물들의 운명〉.
현실은 완전히 왜곡되고 뒤틀렸어요.
이 그림을 보면 어떤 기분이 드나요?

위대한 화가와 작품

〈절규〉-에드바르 뭉크
〈작고 노란 말들〉-프란츠 마르크
〈별이 빛나는 밤〉-빈센트 반 고흐
〈은둔자〉-에곤 실레

FAUVISM (1904-1908)

야수파(1904년~1908년)

야수파

야수파는 20세기 들어 처음으로 나타난 실험적인 미술 흐름이었어요. 이전에 없었던 아주 새로운 미술이었죠.

야수파의 특징은 무엇일까요?

앙리 마티스와 같은 야수파 화가들은 강렬한 색채와 두꺼운 붓을 이용해서 작업했어요. 대상을 실감 나게 그리지 않고 추상적인 도형으로 간략하게 표현했어요. 야수파 화가들은 눈 앞에 보이는 대상보다 색채, 형태, 그리고 화면 구성에 더 공을 들였어요. 이런 식으로 완성된 작품들이 처음 선을 보였을 때 한 평론가가 그 빛나는 색채감에 충격을 받은 나머지, 그 화가들을 '야수들' 혹은 '맹수들'이라고 불렀다고 해요. 그래서 이런 방식으로 그림을 그리는 화가들이 '야수파'로 알려지게 되었답니다.

알고 있나요?

그 당시 야수파 그림은 사람들에게 인정받지 못했어요. 하지만 앙리 마티스는 20세기의 가장 영향력 있는 화가 중 한 명이 되었지요.

폴 고갱
<타히티의 풍경>

타히티의 모습을 담은 폴 고갱의 여러 작품은 마티스에게서 영향을 받았어요. 고갱은 유럽 미술이 기교에 너무 신경 쓴다고 생각했어요. 그래서 그는 단순하면서도 구성과 색채 사용에 공을 들여서 작품을 만들었어요.

위대한 화가와 작품

<춤>-앙리 마티스
<런던의 저수지>-앙드레 드랭
<정물>-모리스 드 블라맹크

EXPERIMENT

색연필로 빈센트 반 고흐의 작품을 한번 그대로 따라 그려 보세요.
강렬한 색채를 쓰는 걸 잊지 마세요!

EXPERIMENT

이제 야수파 작품을 시도해 봐요.

강렬한 색채를 쓰면서, 단순하고 비현실적인 그림을 완성해 보세요.

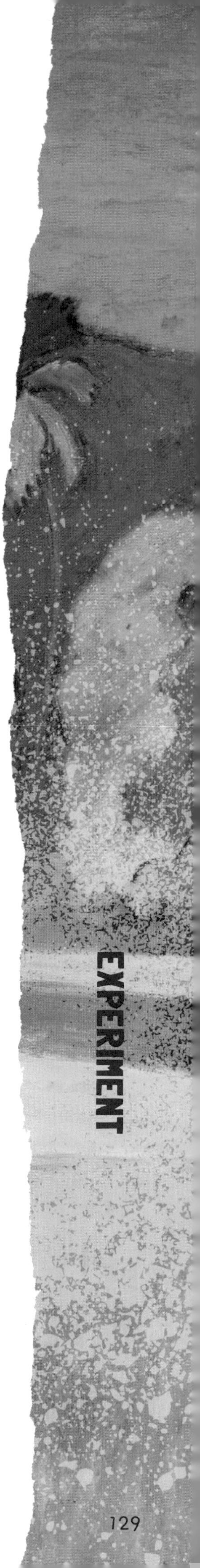

CUBISM AND FUTURISM (1905-1920)

입체파와 미래파(1905년~1920년)

입체파란 무엇일까요?

원근법과 비율 맞추기는 이젠 그만. 입체파를 맞이해 봐요! 입체파는 파블로 피카소와 조르주 브라크가 이끌었고, 아프리카 미술과 아메리카 인디언의 미술에 영향을 받았어요.

입체파의 특징은 무엇일까요?

입체파 그림에는 종종 형태가 해체되어 있어요. 다시 말하면 '평범한' 사물을 여러 부분으로 떼어 내어 표현했다는 뜻이에요. 입체파 화가들은 아주 뾰족한 모양들을 써서 표현했는데, 사물들을 조각조각 떼어 낸 다음, 새롭게 다시 구성했어요. 인물화는 정육면체를 비롯해서 다른 기하학적인 모양들로 구성했어요. 이들은 대상을 한 시점에서 바라본 모습으로 그리지 않고, 여러 시점에서 바라본 모습으로 표현했어요. 그 여러 모습이 아무렇게나 이어져 있는 것처럼 보이게 했지요. 실제 눈에 보이는 것보다는 마음의 눈으로 본 것을 표현하고자 했기 때문이에요. 바로 이 입체파 미술에서 오늘날의 다다이즘 미술이 생겨났다고 해요.

류보프 포포바
<기타와 숙녀>

위대한 화가와 작품

<우는 여인>-파블로 피카소
<둥근 탁자>-조르주 브라크
<건설자들>-페르낭 레제

알고 있나요?

피카소는 물감만 쓴 게 아니었어요. 몇몇 작품에서는 종이와 천을 사용했답니다.

EXPERIMENT

미래파란 무엇일까요?

미래파는 20세기 초에 이탈리아에서 생겨났어요.

필리포 토마소 마리네티가 미래파를 이끈 대표 인물로 알려져 있어요.

미래파의 특징은 무엇일까요?

미래파의 중요한 특징 중 하나는 주제, 즉 미래예요! 미래파 화가들은 속도, (자동차, 기차, 배와 같은) 기계적 교통수단, 그리고 (과학) 기술에 열광했어요. 그들 작품 속에는 속도와 현대 생활이 아름답게 묘사되어 있어요.

미래파 화가들은 과거에서 벗어나 미래를 받아들이길 바랐어요. 다시 말해, 지금껏 지켜왔던 그림 방식을 잊고자 했던 것이죠. 많은 미래파 화가의 그림들에는 자연이 묘사되지 않아요. 그 대신 도시 풍경이 많이 등장하지요. 미래파는 장식 미술, 구조주의, 그리고 초현실주의를 비롯해 20세기에 나타난 다른 미술 흐름에도 영향을 주었어요.

미래파 화가들은 입체주의 그림과 점묘화에 쓰인 기법과 비슷한 방법을 써요. 속도에 열광하는 그들은 다양한 구도와 각도로 대상을 표현하여 움직임에 대한 인상을 무너뜨렸어요. 강렬한 색채와 뚜렷한 붓 자국으로 속도감과 움직임의 잔상을 표현해 내지요.

움베르토 보치오니
〈사이클 선수의 다이나미즘〉

위대한 화가와 작품

〈비관과 낙관〉-자코모 발라

〈동시적 비전〉-움베르토 보치오니

〈반란〉-루이지 루솔로

EXPERIMENT

입체파 그림처럼 자화상을 그려 보세요.

미래파 작품에 한번 도전해 보세요. 여러분은 그림에 어떤 현대 기술을 담아낼 건가요?

DADA AND SURREALISM (1916-1950)

다다이즘과 초현실주의(1916년~1950년)

다다이즘 미술이란 무엇일까요?

다다이즘 미술은 예술계를 발칵 뒤집어 놓았어요! 제1차 세계 대전 때 스위스의 취리히에서 시작된 다다이즘은 전쟁 중에 참호에서 느낀 공포를 표현한 것이었지요. 그 후 다다이즘은 프랑스, 독일, 스페인, 그리고 미국에까지 퍼졌어요. 약 1914년에 시작되어 1920년대 중반까지 유행했답니다.

다다이즘 미술의 특징은 무엇일까요?

다다이즘 화가들은 물감으로 그림을 그리지 않았지요. 대신에 그들은 콜라주 기법(여러 가지 재료를 오려붙여서 작품을 만드는 방법)을 사용하면서 실생활에서 재료를 구했답니다. 차표, 지도, 그리고 사진 같은 것이었지요. 비평가들은 다다이즘 작품이 우스꽝스럽다고 생각했지만, 바로 그 우스꽝스러움이 핵심이었어요! 다다이즘 화가들은 현대 생활의 모순을 이야기하려고 한 거예요. 아무 의미도 없고 감상자를 혼란에 빠뜨리는 작품들을 창작하는 것으로 말이에요. 예를 들어, 마르셀 뒤샹의 〈샘〉은 미술계의 많은 사람을 충격에 빠뜨렸어요. 그가 'R Mutt'라고 사인한 그 작품은 사실 소변기였어요. 사람들이 다다이즘을 '미술을 반대하는' 미술로 보게 된 것도 놀랄 일은 아니랍니다.

EXPERIMENT

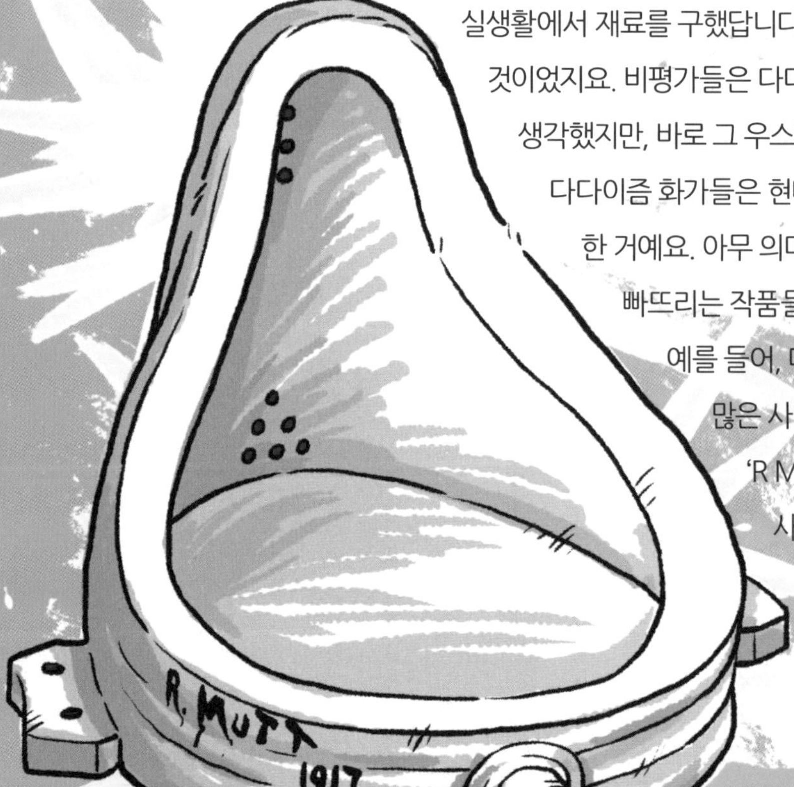

이 작품은 여러분에게 어떤 의미가 있나요?

위대한 화가와 작품

〈샘〉-마르셀 뒤샹

〈감미로운 들판〉-만 레이

초현실주의 미술이란 무엇일까요?

초현실주의는 1920년대에 다다이즘에서 생겨났어요.
초현실이라는 말은 '아주 이상하다'는 것을 뜻해요.

초현실주의 미술의 특징은 무엇일까요?

초현실주의 화가들은 정상적인 흐름을 무시하고 추상적인 형태를 많이 그렸어요. 꿈을 꾸는 듯 일그러진 상태를 화폭에 담아냈지요.
초현실주의는 원래 글 쓰는 사람들이 먼저 시작했어요. 그들이 쓰는 것은 무엇이든지 깊은 무의식에서 비롯되어야 한다는 것이 핵심이었어요. 때문에 초현실주의 작품은 논리적이지 않을뿐더러 전혀 앞뒤가 맞지 않았어요. 르네 마그리트의 몇몇 작품을 확인해 보세요.
어떤 작품들은 아주 당황스러워요. 하늘에서 내리는 남자들과 얼굴 없는 사람들이 나오는 작품들처럼 말이에요.
어떤 초현실주의 그림은 상상 속의 동식물과 사물들을 담고 있어요. 또 다른 작품들은 실생활 속에서 볼 수 있는 사물들을 낯설고 특이한 방식으로 표현하지요. 별 상관없는 물건들을 같이 그려 놓고, 정상적인 형태를 이상한 색채와 모양으로 일그러뜨리고 비틀어요. 초현실주의를 한마디로 요약하면 '기이함'이랍니다!

위대한 화가와 작품

<기억의 지속>-살바도르 달리
<이것은 파이프가 아니다>-르네 마그리트

꿈같은 장면을 이 페이지에 그려 보세요.

무얼 그릴까 고민된다면, 여러분이 직접 겪은 일들을 바탕으로 환상적인 장면을 꾸며 보세요.

ABSTRACT EXPRESSIONISM (1940s-1960s)

추상표현주의(1940년대~1960년대)

추상표현주의 미술이란 무엇일까요?

초현실주의 미술의 뒤를 이어 추상표현주의 미술이 나타났어요.
추상표현주의 미술은 1940년대 후반에 미국의 뉴욕에서 시작되었답니다.

추상표현주의 미술의 특징은 무엇일까요?

추상표현주의 미술의 중요한 특징 중 하나는 즉흥적인 창작을 강조한다는 점이에요.
이 시기에 창작된 수많은 작품은 완전히 추상적이었어요. 그림에서 알아볼 수 있는 모양이나 형체가 없었어요.
잭슨 폴록은 아주 유명한 추상표현주의 화가 중 한 명이에요. 그는 거대한 캔버스를 바닥에 놓고 그 위로 페인트를 통째로 부었어요. 이렇게 해서 그만의 '뿌리기' 기법이 만들어졌지요. 붓뿐만 아니라 칼과 막대 같이 특이한 도구들을 이용했답니다.
이러한 방식은 아주 충격적이고 새로운 그림 기법이었어요. 예술가의 행위에 따라 즉흥적인 작품이 완성되는 것이었죠. 심지어 폴록의 몇몇 작품에서는 발자국까지 보여요. 그가 사방에서 작품 활동을 하느라 실제로 그림 안팎을 지나다녔기 때문이에요. 삼각대에 작은 캔버스를 올려놓고 그림을 그리는 것과는 완전히 다르지요!

폴록의
즉흥적인 그림

마크 로스코는 또 다른 유명한 추상표현주의 화가예요.

폴록처럼 그도 커다란 캔버스를 사용했어요.

로스코는 같은 종류의 그림을 여러 장 그렸는데, 모두 강렬한 색채 블록들을 배열하고 블록들 사이의 경계선을 은은하게 표현해서 작품을 만들었어요.

마크 로스코의 작품들에서 볼 수 있는 색채 블록이에요.

위대한 화가와 작품

〈코사크 기병대〉-바실리 칸딘스키

〈황금 물고기〉-파울 클레

〈푸른 기둥들〉-잭슨 폴록

〈적갈색 위에 붉은색〉-마크 로스코

여러분의 머릿속에 떠오르는 것은 뭐든지 그려 보세요.
뭘 그릴까 생각하지 마세요. 그냥 그리세요!

EXPERIMENT

색채에 대한 내용이 있는 46~47쪽을 참고하여 화가 로스코의 그림처럼 그려 보세요.

EXPERIMENT

POP ART (1950s - 1970s)

팝아트(1950년대~1970년대)

팝아트란 무엇일까요?

팝아트는 1950년대에 시작해서 1970년대까지 유행했어요.
팝아트는 익숙한 미술 방식에 맞서고자 그려졌어요.

팝아트의 특징은 무엇일까요?

다다이즘 화가들처럼 팝아트 화가들은 일상에서 볼 수 있는 상품들을 작품 재료로 사용했어요. 팝아트는 광고 화면과 만화 캐릭터처럼 한눈에 알아볼 수 있는 일상적인 것들을 이용해서 작품을 창작하는 것이 전부였어요. 다시 말해서, 팝아트 화가들은 순수미술과 대중문화를 합치는 시도를 하고 있었지요. 예를 들어, 로이 릭턴스타인은 대중 만화에서 영감을 받았어요. 팝아트는 근사하고 아주 획기적인 예술로 보였어요. 아주 중요한 작품 중 상당수가 오늘날에도 인정을 받고 있어요. 많은 팝아트 화가는 (상품을 찍어 내듯) 대량 생산 도구들로 작품을 만들었어요. 앤디 워홀은 가장 유명한 팝 아티스트 중 한 명인데, 실크스크린 인쇄 기법으로 〈매릴린 먼로〉와 같은 자신의 대표작들을 찍어 냈어요. 그는 수프 깡통과 탄산 음료수 병을 그려서 작품을 만들기도 했어요! 워홀은 예술을 꼭 자기만의 개성을 담아 직접 공들여서 만들어야 하는 것이라고 생각하지 않았어요.
마치 (공장의) 생산 라인처럼 그는 작업실에서 작품을 대량으로 찍어 냈어요.
그의 작업실은 '팩토리(공장)'라고 불렸답니다.

위대한 화가와 작품

〈꽝!〉-로이 릭턴스타인
〈캠벨수프 1〉-앤디 워홀
〈세 개의 머신〉-웨인 터보

STREET ART 40,000BC - PRESENT

거리 미술(4만 년 전~현재까지)

거리 미술이란 무엇일까요?

거리 미술은 종종 '그래피티'라고 일컬어지기도 해요. 그래피티에도 수많은 종류가 있지만, 기본적인 것부터 살펴봐요.

쉽게 말해서, 그래피티란 낙서 예술이에요. 단순하고 조그마한 작품일 수도 있고, 거대하고 정교한 작품일 수도 있지요. 그래피티는 수천 년 전부터 있었어요. 어떤 사람들은 선사시대의 동굴벽화 형태를 최초의 그래피티 작품으로 보고 그 기원을 4만 년 전쯤이라고 주장해요. 오늘날 그래피티는 미술 기법 중 하나예요. 주로 스프레이식 페인트와 매직펜을 사용해서 정교한 선을 긋고, 현란한 색채로 굵게 글씨를 써서 꾸미고, 그림을 그려요.

아주 유명한 그래피티 화가 중에 뱅크시라고 알려진 사람이 있어요. 그의 작업은 늘 큰 논란을 불러일으킨답니다. 사람들은 그의 작업을 하나의 예술 작품으로 보고 그대로 둘지, 아니면 파괴 행위로 보고 지워 버릴지 고민을 한답니다.

EXPERIMENT

여러분만의 그래피티 알파벳을 이 페이지에 그려 보세요.

자기 이름과 친구들 이름도 써 보세요. 비율과 각도를 달리해서 여러 가지로 시도해 보세요.

그래피티에 규칙은 없어요. 그저 표현하기만 하면 돼요!

여러분이 매일 쓰는 물건 하나를 골라서 팝아트 작품을 만들어 보세요.

FAMOUS MUSEUMS

유명한 미술관

세계적으로 유명한 미술관과 화랑의 목록을 소개해요.
이곳엔 아주 정교하고 숨이 멎을 정도로 근사한 걸작들이 보관되어 있어요.
언젠가 기회가 생긴다면 한번 방문해 보세요!

테이트 브리튼 및 테이트 모던 미술관, 런던

영국 국립 초상화 미술관, 런던

메트로폴리탄 미술관, 뉴욕

대영박물관, 런던

스미소니언 박물관, 워싱턴 D. C.

에르미타주 미술관, 상트페테르부르크

루브르 박물관, 파리

구겐하임 미술관, 뉴욕과 빌바오

퐁피두 센터, 파리

오르세 미술관, 파리

바티칸 미술관, 로마

프라도 미술관, 마드리드

우피치 미술관, 피렌체

뉴욕 현대 미술관, 뉴욕

워싱턴 국립 미술관, 워싱턴 D. C.

레이크스 미술관, 암스테르담

PIECES OF ART THAT 'CHANGED THE WORLD'

새로운 세계를 연 미술 작품

역사상 아주 유명한 작품들의 목록을 소개해요. 검색해 보세요.

〈모나리자〉 - 레오나르도 다 빈치

〈비너스의 탄생〉 - 산드로 보티첼리

〈수련〉 - 클로드 모네

〈절규〉 - 에드바르 뭉크

〈진주 귀걸이를 한 소녀〉 - 요하네스 베르메르

〈게르니카〉 - 파블로 피카소

〈아담의 창조〉 - 미켈란젤로

〈최후의 만찬〉 - 레오나르도 다 빈치

〈별이 빛나는 밤〉 - 빈센트 반 고흐

〈키스〉 - 구스타프 클림트

〈가나가와의 거대한 파도〉 - 가쓰시카 호쿠사이

〈물랭 드 라 갈레트의 무도회〉 - 오귀스트 르누아르

〈넘버 5〉 - 잭슨 폴록

〈기억의 지속〉 - 살바도르 달리

〈아르놀피니의 결혼〉 - 얀 반에이크

〈구성 8〉 - 바실리 칸딘스키

〈아메리칸 고딕〉 - 그랜트 우드

〈캠벨 수프 통조림〉 - 앤디 워홀

빈 페이지에 여러분이 좋아하는 그림 기법으로 그림을 그려 보세요.

EXPERIMENT

EXPERIMENT

EXPERIMENT

여러분은 어떤 기법의 그림을 좋아하나요? 어떤 점이 맘에 드나요?

EXPERIMENT

SKETCHBOOK

스케치북

그림을 잘 그리는 비결은 연습이에요!
빈 페이지에 그림 연습을 하면서 여러분 마음대로
새로운 시도를 해 보세요.

FUNKY FONTS

멋진 글자들

멋진 글자들을 보면서 여러분의 작품에는 어떤 모양의 글자를 넣으면 좋을지 생각해 보세요.

A B C

G H I

M N O

S T U

Y Z

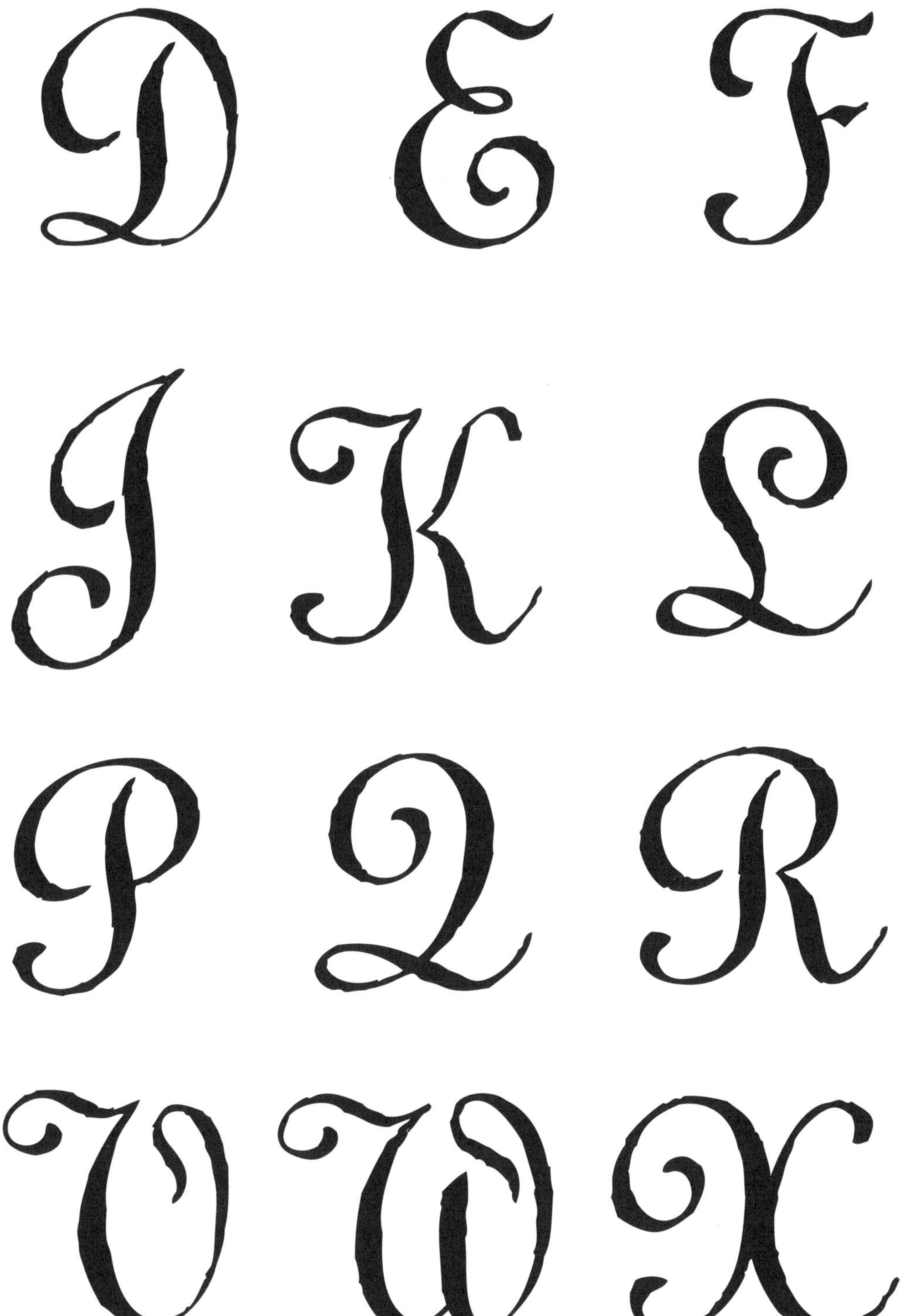
D E F
J K L
P Q R
V W X

a b c d

i j k l m

q r s t

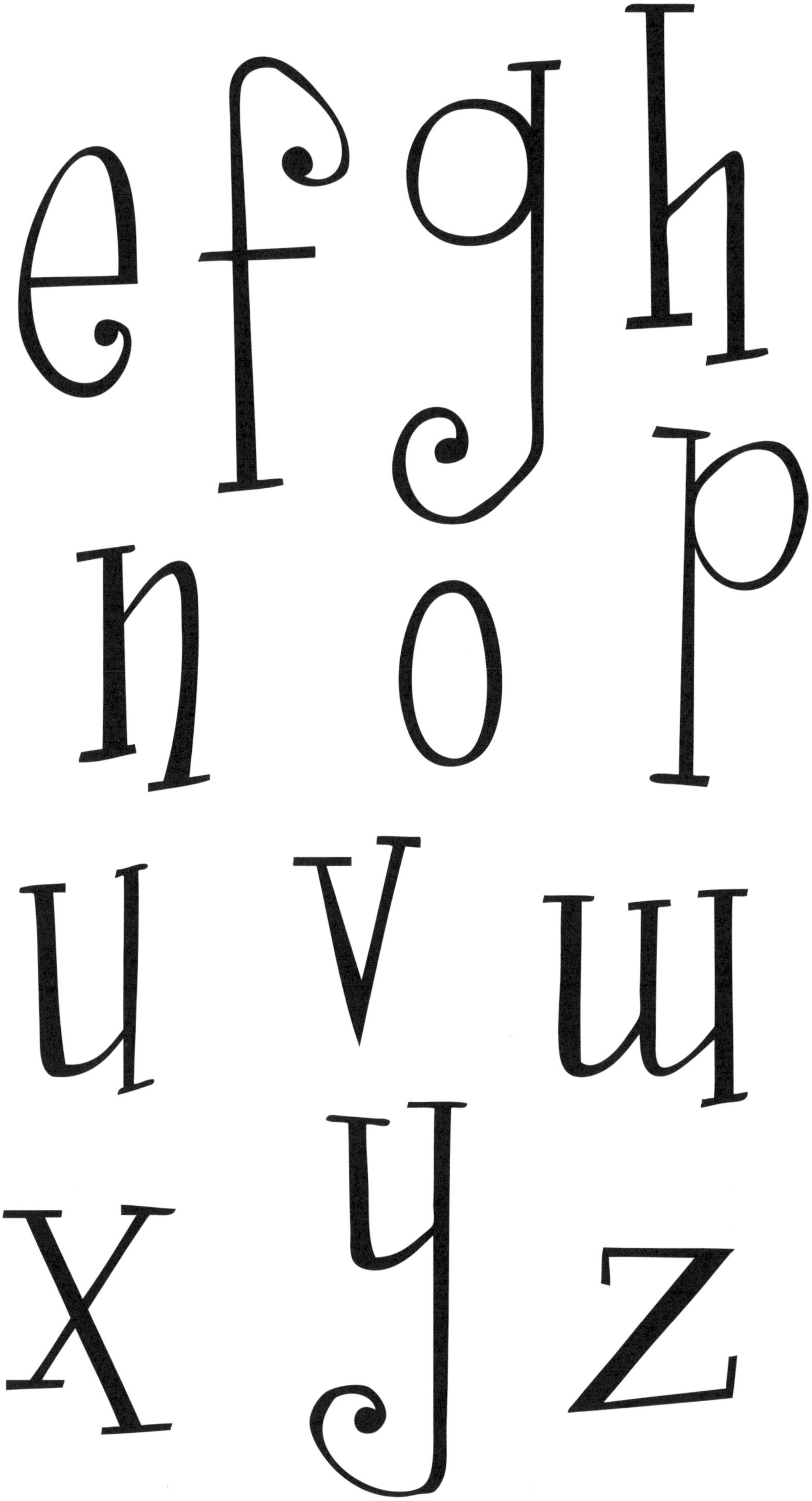
e f g h
n o p
u v w
x y z

SKETCHBOOK

빈 페이지에 여러분의 그림 솜씨를 갈고닦아 보세요.

역자 오지현

이화여자대학교 생물학과를 졸업하고 출판사에 입사하여 편집 업무를 담당했다.
현재 번역 에이전시 엔터스코리아에서 출판기획 및 전문 번역가로 활동하고 있다.
주요 역서로는『구두장이와 요정들』,『엄마가 결혼했어요』,『동물서커스단의 스타 탄생』등 다수가 있다.

여자아이가 좋아하는
뭐든지 그려요

1판 1쇄 인쇄 2014년 2월 20일
1판 1쇄 발행 2014년 2월 28일

저 자 | 홀리 브룩파이퍼
그 림 | 댄 그린
역 자 | 오지현
편 집 | 엄진섭
디 자 인 | 윤재영, 이은송
경영지원 | 이수열, 이윤경
영 업 | 윤진호
출 력 | 달리는 거북이
인 쇄 | 영창인쇄

발 행 인 | 손호성
펴 낸 곳 | 봄봄스쿨

일 원 화 | 북센

등 록 | 제 312-2013-000016호
주 소 | 서울시 마포구 동교동 166-2 목화빌딩 8층
전 화 | 070.7535.2958
팩 스 | 0505.220.2958
e-mail | atmark@argo9.com
Home page | http://www.argo9.com

ISBN 979-11-85423-06-7 64650
ISBN 979-11-85423-03-6 (세트)

※ 값은 책표지에 표시되어 있습니다.
※ 〈봄봄스쿨〉은 국내 친환경 인증 콩기름 잉크를 사용하여 인쇄합니다.